新 潮 文 庫

受験脳の作り方

—脳科学で考える効率的学習法—

池 谷 裕 二 著

はじめに

この本は『高校生の勉強法』（ナガセ刊）を文庫化したものです。『高校生の勉強法』を出版してからほぼ十年が経《た》ちました。その間に脳研究が進歩して、十年前には答えられなかったことが分かりはじめています。当時の内容が、じつは、間違いであったと判明したことさえあります。つまり、『高校生の勉強法』は十年分だけ老化してしまいました。

そこで今回、文庫化にあたり、最新の科学的観点から内容や表現を徹底的に見直し、必要とあれば大幅な加筆を行いました。その結果、本書の内容は、もはや大学受験に限定されるものではなく、高校受験から社会人の各種資格試験・昇級試験まで、より広範な汎用性を備えているように感じました。

そこで、高校生に話しかけるという原著のスタイルをそのままに残しつつも、書名からは「高校生」という単語を削除することとしました。

まず著者である私自身の考えを明確にしておきましょう。初版から十年経った今、その内容が古くなったという事実は、ひるがえせば、今回の改訂内容も十年後あるいは二十年後には古くなってしまう可能性があります。ひょっとしたら、内容が間違っていると判明するかもしれません。しかし、そもそも科学の進歩とは、そういうものだと主張したいのです。

仮説を立て、それを検証し、ある場合には反証し、そして、また新しい仮説を立てる——科学は仮説の輪廻《りんね》転生です。そんな「科学的知見」に基づいて書かれたのが、この本です。

科学者はたいてい慎重です。確実なことが言えない限り、口を閉ざします。現在の脳研究のレベルを考えれば、本来ならば「科学的勉強法」といった謳《うた》い文句は時期尚早な勇み足です。

しかし、私は思うのです。科学の成果が世の中に役立つことが確実になるまで、何も発言しないのは科学者のエゴではないかと。

科学的な根拠が整うまで辛抱強く何十年も待たねばならないとしたら、多くの人は人生のチャンスを逃してしまうことでしょう。ですから、いま得られている科学的知見を最大限に活かしながら、なんらかの手を打ってみてはどうかと私は思うのです。

本書はこのような信念で書かれたものです。だから読者の皆さんには、この本を「絶対的真理を記述した本」としてではなく、「記憶を専門に研究する池谷裕二が『自分ならばこう勉強する』と提案する本」であると捉《とら》えていただきたいと考えています。

この本を書くために、専門分野の情報を惜しみなく活かすよう努めました。「情報」の肝は鮮度と精度です。両者はしばしばトレードオフの関係にあります。ですから、脳科学百年の古典的知見から最新情報までをバランスよく配置するよう配慮しました。

ところで皆さんは、記憶が脳でどのようにして作られ、どこにたくわえられるかを知っているでしょうか。脳の仕組みを知らずして勉強することは、ルールを知らずしてスポーツの練習に励むことに似ています。ルールを理解してから訓練に臨めば、それだけ効率よく練習できて、早く上達します。

勉強も同じです。効率的な勉強法を考察するためには、まずは（現在解明されている範囲における）脳のルールをしっかりと理解することが肝心です。そして、脳の仕組みに逆らわず、むしろ、それをうまく活かすように心がけたいものです。

本書では、漠然と流布《るふ》している「言い伝え」や「迷信」についても、脳科学の視点から、その真偽を考えていきます。そのためにもまず、一般的な記憶の正体を明らかにし、記憶のメカニズムを説明します。そのうえで「記憶力を鍛える方法」について考察してゆきます。

ここでいう勉強とは、学校の教室での学習に限りません。上手な勉強の仕方を知っていることで、日常のあらゆる場面で対応の仕方が上達することでしょう。逆に言えば、この本を通じてこれから皆さんが学ぶノウハウは、きっと今後も使い続けることができるはずです。皆さんの持つ脳のポテンシャルを最大限に発揮して、自己実現を図るために、この本が少しでも役に立てば、著者として望外の幸せです。

目次

第3章　海馬とＬＴＰ

第4章　睡眠の不思議

第5章　ファジーな脳

第6章　天才を作る記憶のしくみ

脳心理学コラム

体験談

本文イラスト　中村　隆

受験脳の作り方

——脳科学で考える効率的学習法——

第1章
記憶の正体を見る

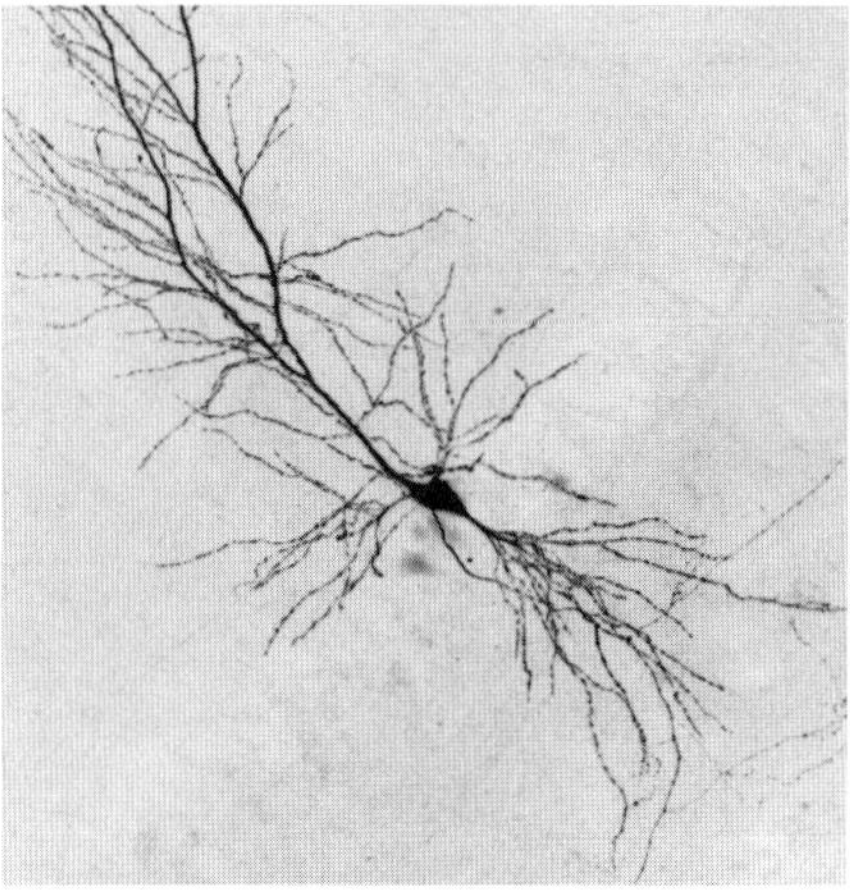

海馬の神経細胞

1-1　能力はテストでしか判定できないのか

記憶とは不思議なモノです。一体、記憶は脳のどこにどんなふうに存在しているのでしょうか。先生が生徒を眺めているだけでは、自分が教えた知識が、その生徒の頭の中にあるのかないのかはっきりしません。記憶はノートやメモのように、実際に目に見える「物体」ではないのです。

そこで、登場するのが「テスト」です。先生はきちんと教えたという確信があるのでしょう。何の躊躇《ちゅうちょ》もなく自信たっぷりに問題を出してきます。もし、その結果が不出来ならば「皆さんの頭の中に知識はない」ことがたちまち判明してしまいます。そして、学習義務を果たしていなかったとして、ダメ生徒のレッテルを張られてしまいます。

ところが、テスト中に答えが出ていたのに書く時間が足りなかったとか、喉《のど》のちょっと下でつっかかって出てこなかったとか、答案用紙を手渡したとたんに、ど忘れしていた知識をハッと思い出したとか、そんなこともよくあります。たとえそうであったとしても、はじめからまったく覚えていない人と同じ０点がつけられてしまいます。テスト準備の努力をしたにもかかわらず「怠慢」「無能」の烙印《らくいん》を押されてしまうのです。その悔しさといったら、言葉では表現できないくらいです。

テストを受けさせられる皆さんの防衛策としては、テストの前に、どんな問題が出されるかを予想し、そして、きちんと答えが導き出せるように対策しておくのが最善の措置になります。

さて、この「知識」という、見た目には影も形もないものは、テストという実体にする作業を経なければ、あるのかないのか分からないものなのでしょうか。たとえば、テストなどせずに、脳の中身をパシッと写真を撮るだけで、有無を判定することができないものでしょうか。ましてや「頭脳明《めい》晰《せき》」とか「記憶力抜群」などという能力を、もっと簡単で確実な方法で確かめることはできないものでしょうか。

う～ん、よくわからない。
でも、きっと何かあるはず！

じつは、現代の脳科学では、部分的にではありますが、そんなマジックに近いことも達成されつつあります。頭蓋骨《ずがいこつ》を開ければ、そこに脳があることは誰でも知っています。「記憶」もその中のどこかにあることも間違いありません。ところが、「記憶」が固体であったり、液状で存在したりしているのなら分かりやすいのですが、そうではないので、医学研究界でも脳は最後の砦《とりで》になっていました。

しかし、コンピュータの記憶がハードディスクという磁気を使った媒体であったり、音楽CDの正体がレーザー光を反射する微細な凹凸であったりするのと同じように、脳の「記憶」も何らかの物理的な形として、脳に存在しているはずです。もしそうでなければ、脳は記憶できるはずがありません。

「記憶した」ことは、脳に何らかの情報の痕跡《こんせき》があるのです。ですから、脳に適当な処理を施せば、その情報を実際に「見る」ことができるようになります。実際、私の研究室では、脳の情報を観察することに成功しています。そして、テストでは分からない「潜在状態」までもが部分的に見えるようになってきました。

1―2　神経細胞が作り出す脳

脳科学では、「記憶」の実態は次のように表現されます。

記憶とは、神経回路のダイナミクスをアルゴリズムとして、シナプスの重みの空間に、外界の時空間情報を写し取ることによって内部表現が獲得されることである。

何がなんだかさっぱりです。分かりやすく言うと、記憶の正体は「新たな神経回路の形成」ということになります。

ここで神経回路という言葉が出てきました。ヒトの脳の中には、一説によると一〇〇〇億個もの神経細胞があると言われています（意外なことに正確な数はまだ知られていません）。その一つひとつの神経細胞は、それぞれ約一万個の別の神経細胞と「神経線維」というケーブルを介してつながっています。それが神経回路です。

想像できますか。たくさんの家（神経細胞）が緻密《ちみつ》な道路（神経線維）でつながって、都市（神経回路）ができあがっている様子をイメージしてもらえばいいと思います。

道路が網の目のように張り巡らされている都市と似て、脳も神経回路というネットワークを作っています。そのネットワーク上を「神経信号」が跳び回っています。この神経信号を使って、脳は情報を処理しているのです。これはコンピュータが電気信号を使って演算しているのと似ています。

コンピュータは、半導体という特殊な部品を組み合わせた複雑な回路からできあがっています。精巧なプログラムによって、足し算のときにこっちからこう行ってあっ

ちに回るといった道順を作っておきます。そこに電気を流し込むと、足し算の結果が出てくるという仕掛けになっています。

電気回路を動き回るデータは、電荷の「ある」と「ない」に対応した「０」と「１」という単純なデジタル信号に置きかえられて、保存されたり読み出されたりします。足し算だけでなく、どんな複雑な計算も、さらに音声やムービーなどもすべて、そのデータは０か１か、つまり「ある」か「ない」かの二進法で処理されていくのです。脳の記憶や処理の仕方も、じつは、これとよく似て、デジタル信号を使っています。

話を簡単にするために、神経のネットワークを、神経線維が方眼紙のようにタテ横に交差しているマス目としてイメージしてください。そして、その方眼紙いっぱいに、絵や文字をかいてみましょう。それは遠くからみれば絵や字に見えますが、近づいてみると、方眼紙には「塗りつぶされているマス目」と「塗りつぶされていないマス目」の二種類があるだけなのです。つまり二進法です。こんな具合に、脳の仕組みとコンピュータの仕組みには共通点があるのです。

1-3　覚えるvs忘れる

コンピュータのたとえを使って、さらに説明したいことがあります。それは、RAMとハードディスクの関係が、ちょうど脳の「短期記憶」と「長期記憶」の関係に似ていることです。

コンピュータのハードディスクは、データを長期間保存しておく場所です。そこには百科辞典にして何百冊、いや、何千冊分でも、データを記憶しておくことができます。しかし、それだけではコンピュータは何も役に立ちません。たくわえているだけではダメで、たくわえた情報を使うことができて、はじめてコンピュータは役に立つものになるのです。

そのためにハードディスクの中から、必要な情報だけを、RAMに呼び出します。RAMは情報の一時的な保管場所です。つまり脳でいうところの短期記憶です。コンピュータはRAM上に呼び出された情報だけを利用できます。逆に、何か情報をたくわえるときにも、いったんRAMを経由しながら、ハードディスクに保存します。要するにＲＡＭは、コンピュータの記憶と外の世界をつなぐ橋渡しの役割をしているのです。

皆さんの脳でもこれと似たことが起こっています。つまり短期記憶は、長期記憶から情報を引き出したり、長期記憶に情報を保存したりするための一時的な保管場所だと捉《とら》えると見通しがよくなります。実際、記憶を脳に長期間たくわえるとき、通常は、短期記憶を経由します。

短期記憶にはちょっとした欠点があります。それは、キャパシティつまり容量が小さいことです。あまりたくさんのものごとを同時に短期記憶としてたくわえることはできません。しかも、その情報はすぐに消されて忘れてしまいます（だから短期記憶というのですが）。

たとえば、カップラーメンでも食べようとヤカンでお湯を沸かしている最中に、友達から電話がかかってきて楽しい話で盛り上がったら、脳の中からヤカンの意識は消えてしまうでしょう。ヤカンは一時的な記憶なのです。コンピュータでもそうです。書いている文書をハードディスクにセーブしないでスイッチを消したら、ゼロからやり直しになってしまいます。ＲＡＭ、つまり短期記憶とはそういうものなのです。

つまり、長期記憶を作るためには、短期記憶をいかに使うかが鍵《かぎ》になるというわけです。

たとえば、保存する時にしっかり名前をつけて、きちんとファイルに分類・整理しておかないと、次にそのデータが必要なときに引っ張り出せなくなってしまいます。自分の脳の中に情報はあるのに、テスト中に思い出せないときに似た悲劇が起こってしまいます。

倉庫に入れるには入れたが、片っ端から放り投げているために、ごちゃごちゃになって混乱している状態……これは倉庫ではなくてむしろゴミ捨て場です。いい加減にものを記憶すると、皆さんの脳の中でも、これと同じようなことが起きるようなのです。

この本では、まずこうした観点から、いかにして知識を効果的に吸収すべきかを考えていきましょう。最初のキーワードは「海馬《かいば》」です。記憶を語るときに、海馬の話題を避けて通ることはできません。

脳心理学コラム1

色彩心理学　その1

皆さんの勉強部屋は、どんな色が基調になっていますか。「色」がヒトの脳の機能に大きな影響を及ぼすことを知っているでしょうか。

たとえば、ファストフード店の看板や店内は、赤色を基調にしていることが多いですが、これは赤色がもっとも食欲を促進する色だからです。進化の過程で、ヒトがまだ野生の肉食動物だったころの名残なのでしょう。赤い色調を使うとより多くの客を引き寄せられるのです。

反対に、満腹時にもっとも嫌悪《けんお》を感じる色もまた赤色です。だから、食事を終えた客は、赤色の店内に居心地の悪さを感じてすぐに帰ってゆくことでしょう。つまり、店の客の回転が速くなるのです。

このように色と心の関係をあつかう学問を「色彩心理学」と言います。

ある色彩心理学者が、スポーツのユニフォームの色の効果を研究しました。[1]ボクシングやレスリングのように赤コーナーと青コーナーに分かれて対戦する競技で、両軍の勝率を調べたのです。

実力が拮抗《きっこう》している選手同士で比べた場合、赤色の選手の勝率は六十二%、青色は三十八%でした。赤色のユニフォームを身につけるだけで、相手よりも一・五倍以上の確率で勝てるようになるのです。こんなデータからも、色の及ぼす効果は無視できないことが分かります。

それでは、勉強に対する色の効果はどうなのでしょうか。次の脳心理学コラムで見てゆきたいと思います。

１－４　海馬について知ろう

ヒトの脳には、長期記憶と短期記憶があることを知りました。

長期記憶の保存場所は「大脳皮質」です。脳のハードディスク。つまり、覚えた知識をたくわえる場所です。

脳のハードディスクの容量がどれほどあるのかは正確には分かっていません。しかし、いま皆さんが見たり聞いたり感じたりしている全情報を、細部までもれなく大脳皮質に放り込んでしまったら、わずか数分でパンクしてしまうだろうと推測している脳研究者もいます。

「え？　たったそれっぽっちなの」と思うかもしれませんが、むしろ「脳には常にそれほどたくさんの情報が入ってきているんだ」と考えてもらった方が正しいでしょう。すべてのことを覚えることは所詮《しょせん》、無理な話だし、そもそも無意味なことなのです。

コンピュータのようにメモリーを増設できればよいのですが、脳ではそんなわけにはいきません。限られたメモリーをうまく活用するために、脳は「必要な情報」と

海馬と大脳皮質

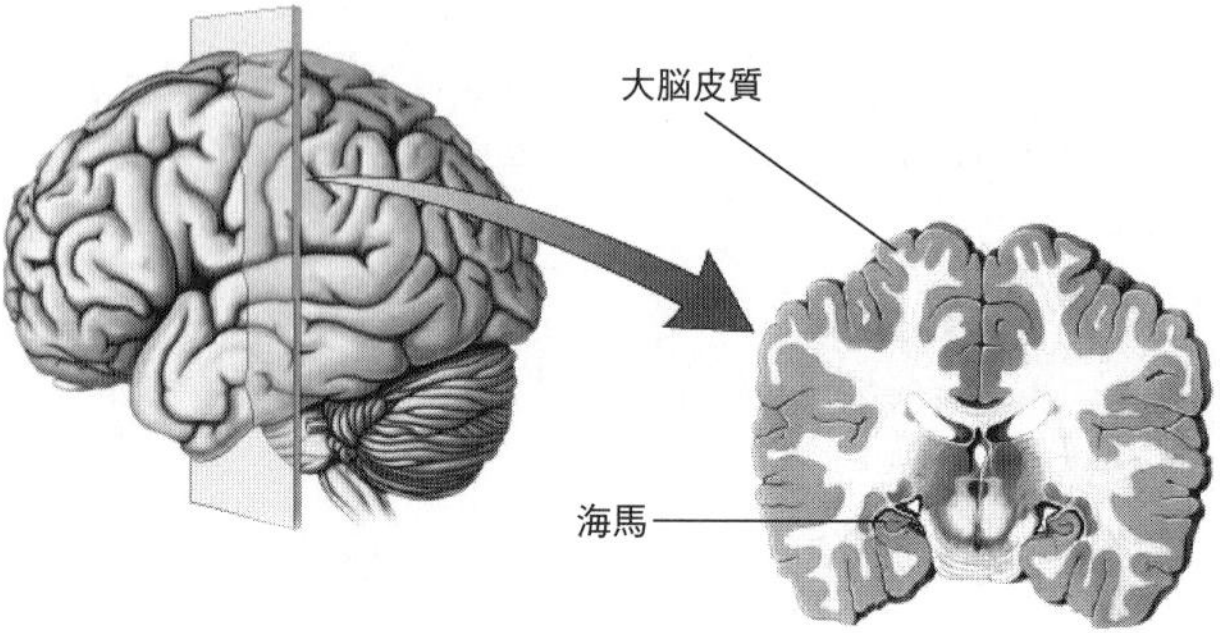

「必要でない情報」の仕分けをします。裁判官のように情報の「価値」に判決を下すのです。その判定の結果、「必要なものだ」と判断された情報だけが大脳皮質に送られて、そこに長期保管されるわけです。

では、その仕分け作業、つまり、必要・不必要を判定する「関所役人」とはいったい誰でしょうか。それは脳の「海馬」という場所です。

海馬は耳の奥の方に位置している脳の一部位です。太さ一センチメートルくらい、長さ五センチメートル弱くらいで、小指をちょっと曲げたようなバナナ型をしています。ちなみに、海馬とはタツノオトシゴという意味です。この脳部位を海馬と呼ぶことになった由来には諸説ありますが、正確

海馬の断面図

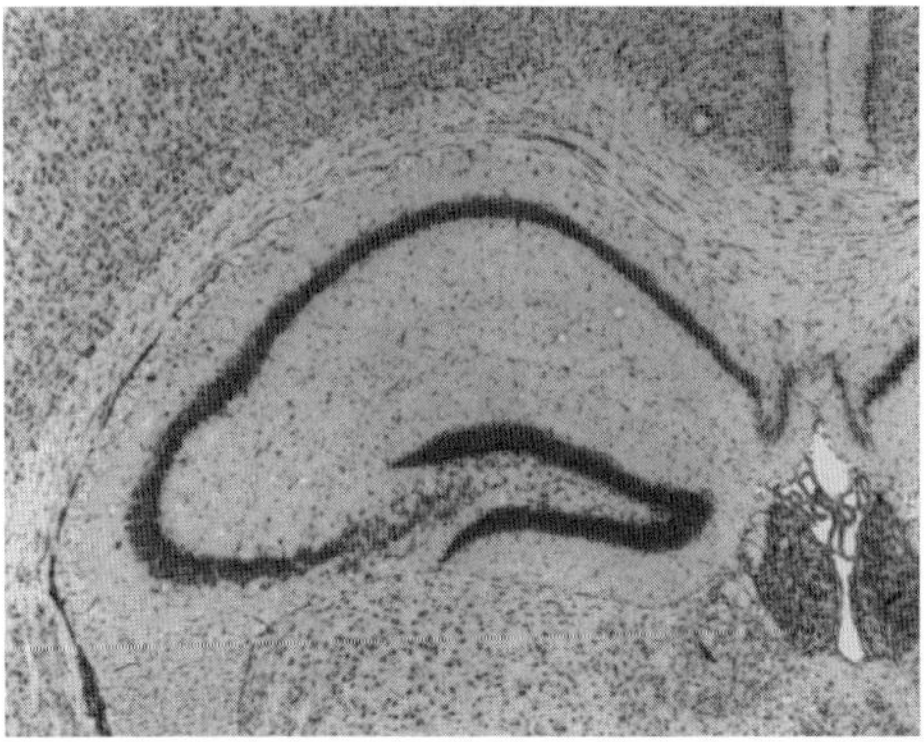

には分かっていません。

タツノオトシゴという名の関所役人に必要と認められた情報だけが、関門を無事に通過して、長期記憶となる資格が与えられます。審査期間は最短で約一カ月くらいです。この審査基準は厳しくて、よほどのことがない限り一回で合格することはありません。

では、どんな情報が海馬の審査に通りやすいのでしょうか。明日のテストに出る英単語でしょうか。古代ローマ皇帝の名前でしょうか。

残念ながらそのどちらでもないのです。通行許可の判定基準は、なんと、「生きていくために不可欠かどうか」なのです。

英単語が覚えられなくて切羽詰まってい

る自分にとっては、何よりも必要な情報なのに、タツノオトシゴはそんな私たちにとても残酷です。「英単語のひとつやふたつ覚えてなくても命に別状はない」といって通してくれません。短期保管庫から長期記憶へとコピーの許可がおりないのです。皆さんが学校で覚えなくてはいけない知識のほぼすべては、海馬が「生きていくのに不可欠」とは判定してくれないものです。

それもそのはずです。よく考えてみてください。「臭くなったものを食べたら食中毒を起こす」とか「石が頭に向かって飛んで来たら逃げないとケガをする」という情報と、「ソクラテスが死んだのは紀元前三九九年である」などという教科書的な知識では、どちらが命にかかわる重大な情報でしょうか。

ヒトはヒトであるまえに動物です。どんなことがあっても生き延びなければなりません。動物にとっての「学習」とは、危険な状態におかれた経験で得た情報を記憶して、ふたたび同じ目に遭わないよう回避し、環境に上手に適応していくことなのです。

脳心理学コラム２

色彩心理学　その２

スポーツでは赤色がより効果的なことを説明しました。でも、皆さんが興味を持つのは、スポーツよりも、むしろ勉強への効果でしょう。勉強への色の効果はどうでしょうか。知能指数を測定するＩＱテストで、色の影響が確かめられています[2]。

ＩＱテストの中身は変えずに、問題用紙の表紙の色を、赤、青、緑、黒などと、様々なカラーに変更してみたのです。すると、驚いたことに、赤色の表紙を渡された受験者だけが、点数が低いことが分かりました。最低でも十％、ひどいと三十％も点数が下がってしまうというのです。

表紙のように目立つ場所の色だけでなく、解答欄の枠の色や、あるいはページの片隅にマーカーされた色など、ちょっとした場所に赤色を入れただけでも、同じように点数が下がってしまいます。どうやら、赤はＩＱを低下させる効果があるようです。

それにしても、スポーツでは赤が強いのに、テストではなぜ赤が弱いのでしょうか。とても不思議です。この謎《なぞ》は、つぎのような実験で解かれました。

選択問題を用意します。「簡単な問題」と「難しい問題」です。好きな方を選んで解いてもらうというものです。もちろん、どちらを選んでも有利・不利はないことを受験者に伝えてあります。この平等な条件下でテストを行うと、なんと、赤色が目に入った場合、簡単な問題を選ぶ人が増えたのです。

赤色は「よしっ、難しい問題に挑戦しよう！」という戦意を下げてしまう色だったのです。IQの低下もこれで説明できます。IQテストでは、時間内に解けないほどの問題数が出されます。最後まで諦《あきら》めずに解答にチャレンジすることが、よい点数をとるためには必須《ひっす》です。赤色は、知能そのものを下げるというより、やる気を低下させて、IQを下げていたのです。

実際、IQテストの考案者の一人であるビネーは、知能を支える三大要素として、「論理力（数学）」「言語力（国語）」「熱意」の三つを挙げています。最後の「熱意」は忘れられがちなポイントです。IQテストはその人の熱意も反映されるようにうまく設計された試験なのです。

さて、この事実を踏まえた上で、スポーツの色の効果を、改めて考えなおしてみましょう。赤色のユニフォームを着ると勝率がアップしました。想像してみてください。赤色を身につけたとき、赤色がより目に入るのは、自分と相手では、どちらの選手でしょうか。そうです。相手なのです。つまり、赤い色のユニフォームは、相手選手を精神的にひるませて、自分を優位に立たせる色だったわけです。

そんなわけで、私も勉強部屋ではできるだけ赤色を使わないように心がけています。

では、何色がよいのでしょうか。残念ながら、知能を高める効果のある色は、いまのところ知られていません。私自身は、勉強部屋には「大自然」を想像させる緑色を使うことが多いです。あるいは勉強の息抜きに、公園や川縁を歩いたりなど、ちょっとした「緑」のプチ森林浴に出かけたりもします。緑には人の気分を落ち着かせ、集中力を高める、そんな効果があるような気がしているからです。

1－5　がんばれ海馬

海馬は、生命の存続に役立つかという「ものさし」で情報の取捨選択をします。身の危険のない学校の教室で学ぶことなど、当面生きていくだけならどうでもよいことではありませんか。「右耳から入って左耳に抜ける」とよく言いますが、まさに海馬はそんな具合に、絶えず情報の消去を行っているのです。

ヒトは消費するエネルギー全体の二十%を脳で使っています。重さでいえば、脳は体重のたった二%に過ぎません。エネルギー効率という観点から、いかに脳は大食漢であるかが分かります。

長期記憶で情報をたくわえるためには、エネルギーを消費するはずです。不要な情報を脳にたくわえるのは、エネルギーのムダ遣いです。こう考えると、海馬は省エネ主義者だとみなすこともできます。エネルギーを浪費するようなムダな情報は通過させない「財政担当大臣」です。

ですから、皆さんが「全然覚えられないよ」と嘆いたとしても、ある程度は仕方がありません。なぜなら、脳はそもそも、覚えることよりも、覚えないことをずっと得意としているのですから。

脳科学的に見れば、「なかなか覚えられない」という嘆きは、きわめて当然なことです。せっかく苦労して覚えたことを忘れてしまっても、クヨクヨと悩む必要はありません。自分の脳だけが特別に忘れやすいわけではなく、誰の脳でも同じことなのです。

雨は一人だけに降り注ぐわけではない。　ロングフェロー（詩人）

とは言っても、皆さんにとっては、授業中にドジな答えをして恥をかくことも、入試で落ちることも、食中毒で苦しむことと同じくらい大事なことです。ところが残念なことに、私たちの雇った海馬は、主人である私たちの希望に臨機応変に対応してはくれません。

その理由は、海馬がまだ進化的に未完成だからと私は考えています。海馬が現在の形になったのは、ホ乳類になってからのことです。どんなに古く見積もっても二億五千年くらいでしょうか。一方、ヒトが高次な文化を営むようになったのは、進化の歴史上で言えばさらに最近、せいぜい一万年前のことです。

生物の進化には何百万年から何億年という単位の年月が必要ですから、急速に発展したヒト文明に見合っただけの進化を海馬が遂げるには、まだまだ歴史が短すぎるのです。

では、学校で教わる知識を、まだ進化的に未熟な海馬に「必要なもの」として仕分けしてもらうためには、一体どうしたらよいのでしょうか。それこそが、皆さんが今もっとも知りたいことではないでしょうか。

その方法は一つしかありません。海馬をダマすことです。とはいっても、この仕分け人に、賄賂《わいろ》を使ったり泣きついたりして揺さぶりをかけても、いっさい動じません。海馬に必要だと認めてもらうには、できるだけ情熱を込めて、ひたすら誠実に何度も何度も繰り返し情報を送り続けるしかないのです。すると海馬は、「そんなにしつこくやって来るのだから必要な情報に違いない」と勘違いして、ついに大脳皮質に情報を通過させるのです。

古来「学習とは反復の訓練である」と言われてきたのは、脳科学の立場からもまったくその通りだと言えます。

だから、学習したことを忘れてしまったとしても、いちいち落ち込んだり、気にしたりしてはいけません。また必要になったときに、もう一度覚え直せばよいのです。

そうして覚えたものを、やはりまた忘れてしまったとしても、それでもヘコタレずにまた覚え直しましょう。そんな具合に、何度もなんども繰り返し覚え直しているうちに、脳はその知識を記憶に留めるようになるでしょう。

しかし、そうして苦労してやっとモノにした知識を、またも忘れてしまったら、どうしたらよいでしょうか。何度も努力して、ようやく覚えたのに……。

答えは同じです。やはりまた覚え直せばよいのです。こればかりは仕方がないのです。脳は、できるだけ早く多くのことを忘れるように設計されているのですから。

つまり、成績がよい人は、忘れても忘れてもめげずに、海馬に繰り返し繰り返し情報を送り続けている努力家だと言えます。

「受験脳」などとタイトルのついた本書を読めば、きっと楽をして成績が上げられるようになると思って手にとった皆さんに対しては、いきなり期待を裏切る結論になってしまったかもしれません。テストでイヤな思いをしている皆さんは、「どうしてコンピュータのように、一度のセーブで永久に忘れないようになっていないんだろう」と悔しく思った人もいるかもしれません。

でも、考えてみてください。なかなか覚えられない原因は、脳のキャパシティが小さいことも理由かもしれませんが、もっと本質的なことを言えば、もし一度覚えたことをすべて半永久的に忘れないとしたら、人は上手に生きていけないのではないでしょうか。

かつて、記憶力が抜群な「患者」がいました。ルリア病です。朝起きてからその日に見たことをすべて、道ですれ違った知らない人の顔や、道路に放置してあった自転車にいたるまで記憶してしまいます。私たちからみるとうらやましい思いもしますが、しかし高い記憶力は、実際に生きていくためには不都合です。

彼は夜に寝床に就くと、昼間見かけた風景が、つぎつぎに脳裏によみがえってくると嘆きます。忘却のない記憶力をもつ彼は、次々と生じるリアルな視覚像のために思考を妨げられ、しだいに現実と想像の世界の区別を失い、幻覚の世界にさまよい込んでしまいました。彼は必死で記憶を消し去ろうともがき、ついにノイローゼになってしまいます。

どうですか。苦労せずに忘れられる私たちはなんと幸せなことでしょう。私たちが好むと好まざるとにかかわらず、脳はどん

どん忘れるようにできています。いや、よほどのことでない限り記憶にとどめない慎重な設計になっている脳に感謝すべきなのです。

でも、どうしても記憶に残さなければ入試に落ちてしまうというのなら、解決策はただひとつ、繰り返し復習して「脳をダマす」しかないのです。これが大原則です。

一番だましやすい人間は、すなわち、自分自身である。

ブルワー・リットン（英政治家）

したがって、この本ではこれから「どうしたら上手に反復訓練をすることができるのか」ということに焦点を絞ってゆきます。

一口に「脳をダマす」と言っても、ちょっとしたコツがあるのです。そのコツこそが効果的な勉強法の秘訣《ひけつ》です。そのコツを習得し、海馬を上手にダマすことのできる「詐欺《さぎ》師」は、世間では「頭がよい人」と呼ばれるのです。

そこで、この本ではまず「脳の原理」を説明しながら、少しずつそのコツを伝授していきます。さて、心の用意は整いましたか。まずは基礎編として「記憶の生理学」からスタートしましょう。

体験談1

高一で履修した科目で受験するのは不利？

私は今、高一で習った生物を受験科目にするかどうかで悩んでいます。一通り習っているので、全貌《ぜんぼう》がつかめているのは有利かと思ったのです。それと、中間・期末では一夜漬けでしたが、たいていはよい成績を取っていたこともあります。

ところが、高三になって模試を受けたら、１００点満点の37点でした。カタカナの生物用語みたいなのは、「こんなん聞いたことない」というくらい、きれいさっぱり忘れていました。これならまだ高二で習った化学の方が残っているし、高三でやっている物理なら忘れる前に入試の日が来るような気がして、高一で履修した科目を受験で選択するのは不利なのかなあと思ってしまいます。

今から思えば、高一の中間・期末の試験問題を取っておいて、ときたま復習しとけばよかったと後悔しています。なんとなく覚えてられると思っていたのですが、二年もたつとホントに跡形もなくなるもんですね。（高三・神奈川）

著者からのコメント

こうした内容の相談は、ほとんどのケースで、本人の心がけの問題です。たしかに人の記憶は（テストの知識の場合は特に）、時間がたてば忘れてしまって当然です。

しかし、脳科学的にみれば、一度しっかりと記憶したモノ（つまり大脳皮質に刻まれた長期記憶）であれば、無意識の脳に今でもたくわえられているはずです。ですから、いまから勉強を始めても、以前よりはすんなりと思い出して、容易に習得できるはずです。つまり、一年生の時の履修科目よりも三年生で習った科目の方が受験に有利だとは一概には言い切れません。

要するに、一年生のときの科目を、当時どれほどしっかりと取り組んで習得したかがより重要な決め手だと思います。「全貌がつかめていて有利」だと感じるのでしたら生物を選択したらよいと思いますし、「一夜漬け」でしか勉強してこなかったとしたら、おそらくその知識は身につかなかったでしょうから、より最近習った物理を選択するのもよい選択肢だろうと思います。

また、脳にはレミニセンス効果という現象があることを知っておくこともムダではないでしょう。レミニセンス効果とは、身につけたばかりの新しい知識よりも、脳の中でじっくり寝かせた知識の方が、脳にとっては利用しやすい知識になるという現象です。詳しくは第4章を参照してください。

第2章

脳のうまいダマし方

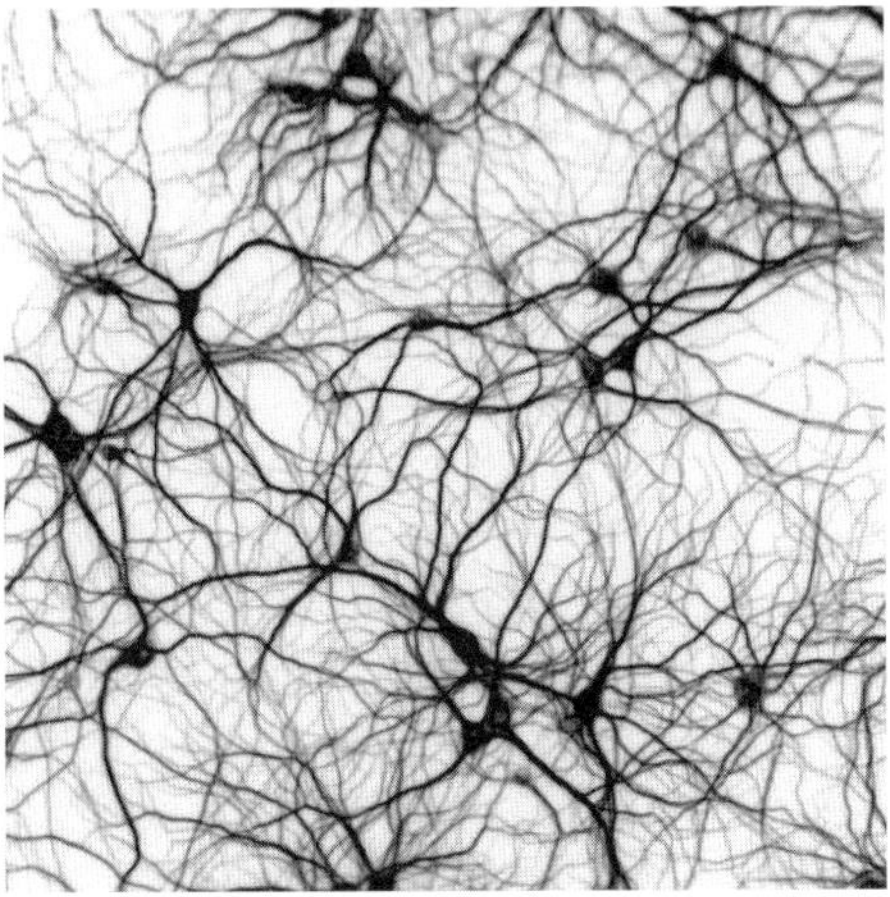

シャーレ上の神経細胞が作る神経回路

2-1 誰だって忘れる

この章では、脳にたくわえられた記憶が、その後どんな運命をたどるのかを解説します。このプロセスを理解することが、脳をうまくダマすコツを知る基礎となります。

第1章で、脳はものごとをなるべくたくさん忘れるように設計されていると説明しました。そこでまず、ヒトの脳は覚えたことをどのくらいの速さで忘れていくかを、皆さんと実験をしながら考えていきましょう。

まず、次のような単語暗記の実験をしてみましょう。これはドイツの心理学者エビングハウスが、百年以上も前におこなった有名な実験です。

次の三文字単語を覚えてください。

（いるめ）（くとし）（かでさ）（たとは）（すとえ）
（おえね）（むたら）（かふわ）（けんよ）（みまそ）

まったく無意味な単語が十個並んでいますが、真剣に覚えてください。単語を思い出すテストをします。

暗記するときに注意してほしいことが二つあります。第一点は、語呂《ごろ》合わせなどを使わず、そっくりそのままを「丸暗記」するということ。第二点は、覚えたあと、テストまでの間に絶対に復習してはならないということです。これは「忘却」のテストです。この約束を守らないと、「忘却」の実体が見えてきません。

さて、皆さんは、いま覚えた十個の単語を、この後どのくらい長く覚えていられるでしょうか。「私はこういう暗記が苦手なんだよな」とか「でも記憶力のいい人は、きっと楽に長時間覚えていられるんだろうな」とか、そんなことを考える皆さんもいるでしょう。

しかし、テストをしてみると、単語を忘れる速度は人によって違わないことがわかります。個人差はありません。誰でもだいたい同じように忘れていきます。しかも忘れることは、意識ではコントロールできません。どんなに祈っても、いつかは忘れてしまいますし、逆に、早く忘れようと念じても、すんなりと忘れることはできないでしょう。

このテストで、単語がどのようなスピードで忘れられていくかを調べたグラフは

「忘却曲線」と呼ばれています。一般的な結果を図に示しました。

グラフをよく見てください。直線関数ではありません。忘れるスピードは一定ではないのです。覚えた直後がもっとも忘れやすいことが分かります。はじめの四時間で一気に半分くらいを忘れてしまいます。けれどもその後は、残った記憶がわりと長持ちし、少しずつ減っていきます。そんな傾向が曲線グラフから読みとれます。

先のテストの平均的な成績から言いますと、四時間後には暗記した十個の単語のうち、五個程度しか思い出せなくなっているはずです。そのあとは忘れる速度が遅くなります。二十四時間後にテストを行ってみると、覚えている数は三から四個であるのが普通です。四十八時間後では二から三個くらいです。

ということは、テストの直前に切羽詰まってしまったら、前日の深夜にがんばって暗記するよりも、試験の日の朝、早起きして詰めこんだ方が、テストの時間までより記憶の持ちがよいということになります。忘却曲線にしたがえば、テストが始まるまえ四時間以内でないと半分以上を忘れてしまうことが分かります。

ただし私は、テスト直前の知識の詰めこみは推奨しません。その理由はあとで説明しましょう。

さて、皆さんの成績はどうでしたか。こうしたテストは厳密に行うのは難しいので、

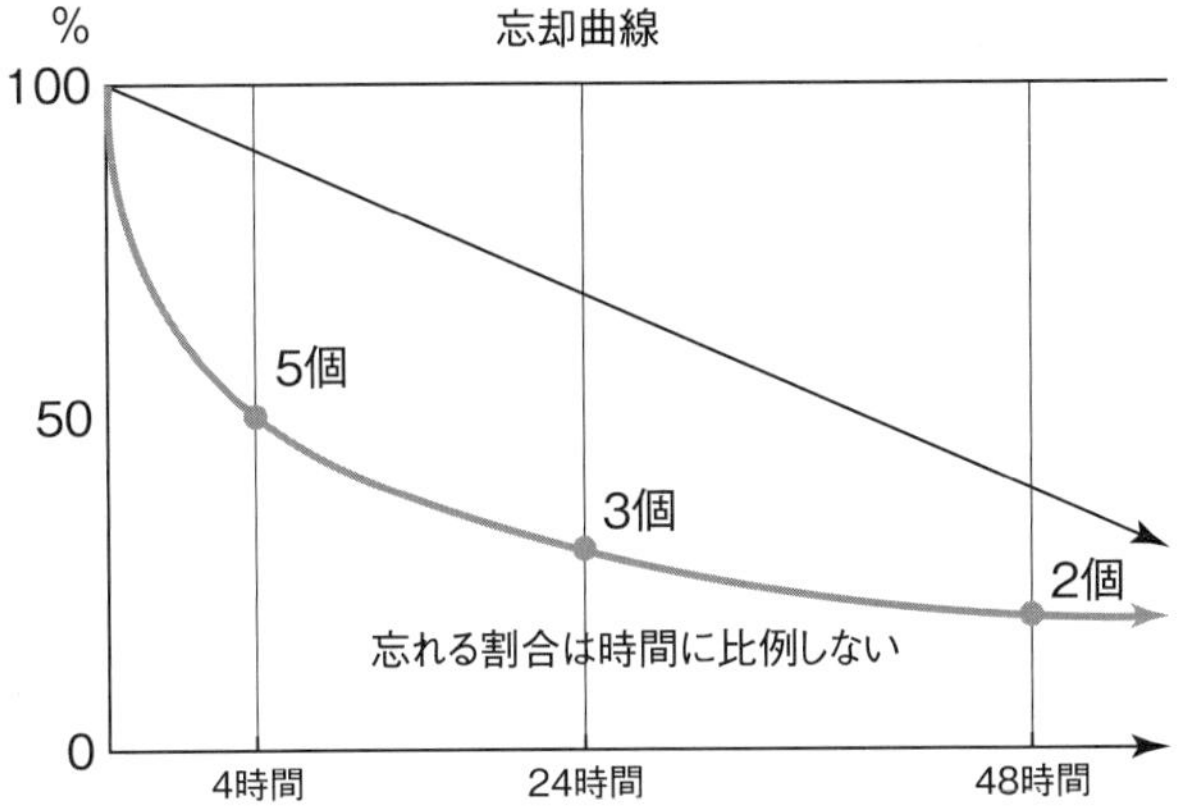

もしかしたら少し違う結果が出たかもしれません。もし、この忘却曲線よりも成績が良かったら、それはきっと丸暗記で記憶していなかったか、もしくは覚えた単語が、あなたにとって何か特別な意味を持つ単語だった可能性があります。このテストはあくまでも無意味な単語に対する丸暗記の効果をみる実験ですから。

逆に、もし成績が悪かったとしたら、それははじめからきちんと覚えていなかっただけか、もしくは記憶の干渉の結果だと思われます。記憶の干渉については、これから詳しく解説します。いずれにしてもここでは、忘れることには個人差がないことを覚えておきましょう。

脳心理学コラム３

チャンク化

突然ですが、次の九桁の数字を覚えてみてください。

８５３９７２６４１

そして三十秒後に覚えているかチェックしてみましょう。こうした意味のない数字をただ暗記するのは、語呂合わせでも使わない限りなかなか難しいでしょう。

しかし、電話をかけるときのように、途中にハイフンをいれると、

８５３-９７２-６４１

となってグーンと覚えやすくなります。このようにものごとを小グループ化すると記憶がしやすくなることを「チャンク化」と言います。

勉強においてもグループ化はとても大切な作業です。

たとえば、英熟語を覚えるときも、散漫に覚えていたのでは効率よくありません。むしろ、「get at」「get out」「get over」「get up」のように"get"でまとめてみたり、逆に「get at」「arrive at」「look at」「stay at」など"at"で

まとめてみたりして、分類することが大切です。覚えたい対象をていねいに整理《せいり》整頓《せいとん》するのです。

また、計算間違いなどのケアレスミスで、うっかりテストの点数を下げてしまう人がいますが、計算ミスが多い人ほど筆算が乱雑で整理されていないという事実を知っているでしょうか。勉学においては、知識や情報の整理整頓が重要な作業であることを心得ておきましょう。

覚えよう
853972641
Z Z Z
ムリ
覚えよう
853-972-641
お！イケそう!!

2-2 よい勉強? 悪い勉強?

忘れるスピードは、人によって違ったり、意識によって変わったりはしないことはすでに説明しました。しかし、だからといって、どんな条件でも忘れるスピードは不変かというと、もちろんそうではありません。もし不変だとしたら、人によって記憶力は変わらないはずですし、学校の成績にも差が出るはずがありません。

そこでまず、忘却が早まってしまう場合から説明しましょう。どういうことをすると記憶がより早く消えてしまうのかということです。それを知れば、皆さんの勉強にとって大いに役立つ情報が得られることでしょう。

忘れるのが早まる効果がもっともはっきり現われるのは、新しい記憶を追加することです。要するに知識を無理に詰めこむのです。たとえば、皆さんは先ほど十個の単語を覚えました。そこで新たに、たとえば先の単語を覚えてから一時間後に、さらに次の単語を十個覚えてみましょう。

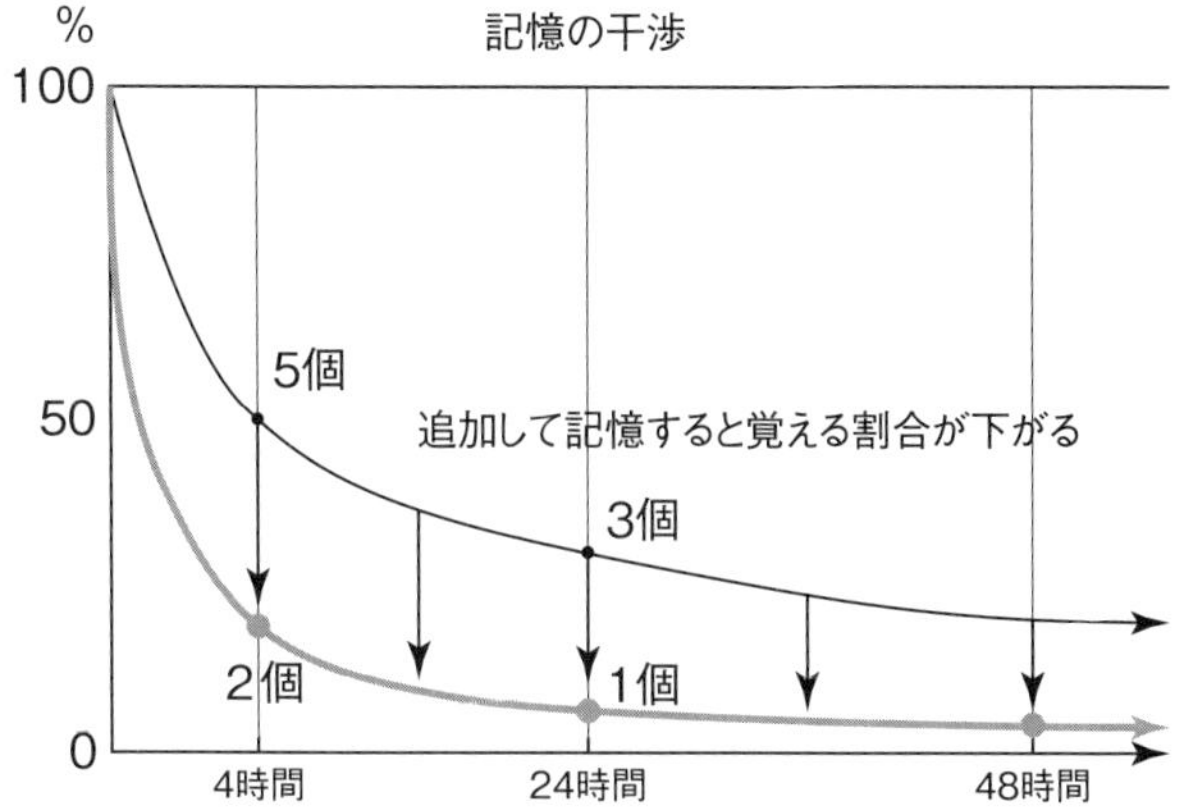

（とがま）（もいく）（かまし）
（ぎんも）（こはと）（もそん）
（しすぜ）（そひい）（でみは）
（さくて）

もちろん、今回もしっかりと暗記してください。

そして今から三時間後に、はじめに覚えた単語十個を思い出してみましょう。どうでしょう。何個覚えていられましたか。きっと、一個か二個程度だと思います。

つまり、必要以上に記憶を詰めこむと、覚えが悪くなってしまうのです。一度に覚えられる量には限度があります。

もちろんこれと同時に、ついさっき覚えた新しい方の単語の記憶も妨げられているはずです。後から追加した十個の単語を、実際に四時間後に思い出してみれば分かると思います。思い出せる単語数は五個以下でしょう。

このように新しい記憶と古い記憶が影響を与え合ってしまう相互作用のことを「記憶の干渉」と呼びます。

一つひとつの記憶は、お互いに関与せず完全に独立しているのではありません。むしろ関連し合い、影響し合っています。あるときにお互いを排除したり、またあるときに、お互いを結びつけて、高め合ったりしているのです。

だから間違った覚え方、たとえば不用意に大量の知識を詰めこむと、記憶が消えてしまったり、ときには記憶が混乱し曖昧《あいまい》になったりして、勘違いなどを起こす原因になります。

たとえば古文の授業で、先生が「百人一首を明日までに全部覚えて来なさい。テストを行います」といった無謀な課題を出したとします。こんなときに、無理に徹夜して百個全部を覚えようと努力するより、着実に三十個だけ覚えた方がいい点数が得られます。三十個しか勉強しないとは、なんともズルい戦略ですが、しかし実際には、時間的にも体力的にも精神的にも理に適《かな》った作戦なのです。こんな理不尽な要求が出されたときは、徹夜で強引に脳に詰めこもうと試みるのは、健康上の理由からも、やめておくのが無難です。

もちろんテスト前だけでなく、ふだんの勉強でも同じことが言えます。一日のうちに、新しい知識をあまりにもたくさん詰めこむのは避けましょう。そもそも勉強は「復習」に主眼を置くべきです。復習の大切さについては、またあとで説明します。とにかく、覚えられる範囲をストレスなく覚える。これが記憶の性質に適った学習方法です。

さて、そろそろ分かってもらえるころだと思います。そうです。勉強には脳の性質に沿ったよい方法と、脳の性質に逆らった悪い方法があるのです。脳の性質を無視した無謀な勉強は、時間のムダであるばかりではありません。場合によっては逆効果になります。そんな勉強なら、いっそのことしない方がまだマシです。

どれだけ勉強したかは大切な要素ではありますが、勉強の量だけで成績が決まるのではありません。それ以上に大切なことは、いかに勉強するかという質の問題です。勉強の仕方しだいで結果は大きく変わります。

人生は物語のようなものだ。重要なのはどんなに長いかということではなく、どんなに良いかということだ。

セネカ（哲学者）

皆さんは、今まで脳に悪い勉強法をとってきていませんでしたか。自分の勉強法をよく見直してみてください。この本ではこれから効率的な勉強法について解説していきます。内容を正しく理解して、もし間違った方法をとってきた点があれば、よい方向に改善してみてください。「こんなにガンバっているのに、なんで成績が上がらないんだろう」と感じている人は、特に要注意です。そういう人には、脳の原理を正しく応用して、少ない勉強量でも最高の効果があげられるような勉強法に変えていくことを提案したいと思います。

体験談2

究極の英単語暗記法

私の英単語の暗記法。まず書店で英単語集をぱらぱらとめくって、自分が知らない単語ばかり出て来るものはパスした。最後までやりきる自信がなかったからだ。かえって半分以上も知っている単語が並んでいるものを選んだ。それも見出し語が大きな字で書いてあって、パッと目に飛び込んでくるデザインが好きだった。

なにしろ飽きっぽくて「三日《みっか》坊主《ぼうず》」の典型だったので、「必ず半分以上はやるぞ」という気合を入れるために、単語集の真ん中に外から見えるように赤のラインを引いた。

それから一日に二ページずつ覚えることにして、前もって単語集の左上の余白に覚える日を書いておいて、実行したら○で囲んでいった。一日を八時間ずつ三つに切って覚えることにした。新しく覚えるのは寝る前だけにした。

そして、夜覚えた新しい単語について、登校時と下校時の二回、通学の車中でチェックすることにした。私は、これを高一の一学期から始めたが、ちょうど夏休みに入るころに一通り終わったので、夏休み中は付いていたCDを使って総復習した。

二学期に入ると、授業で読む英文の九十五％は知っている単語ばかりだった。もちろん複雑な構文が出てくると詰まってしまうけど、単語力だけで内容の大筋はつかめるし、第一、ほとんど辞書を引かなくてよいので、どんどんスピーディに読めて英語が得意科目になってしまった。（高二・長崎）

著者からのコメント

全体的に効率のよい勉強法であると言えそうです。勉強には「意欲」が大切なことは言うまでもありませんが、この勉強法には意欲を持続するための細かい心配りが見てとれます。単語集に限らず、一般に参考書選びは第一印象が重要です。はじめにパラパラとめくってみて、自分と相性がよさそうなものを選ぶようにしましょう。相性のよい参考書を使えば、勉強の意欲が削《そ》がれずにすみます。

一方で、目前の目標を高く設定しすぎない点にも好感がもてます。「夢は大きい方がよい」とよく言いますが、日頃の勉強については、決してそんなことはありません。目標に到達したときの達成感は、脳のA10《テン》神経と呼ばれる場所をほどよく刺

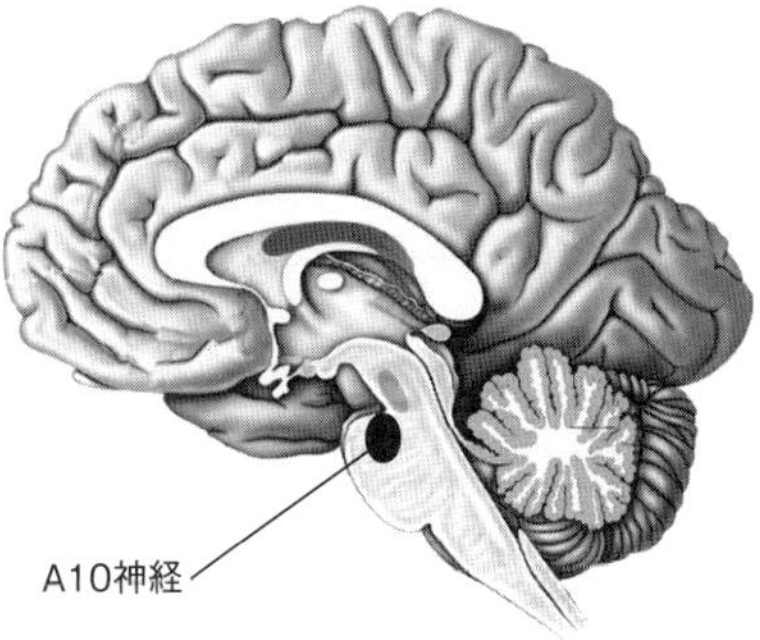

激します。小刻みな達成感は、意欲を長期的に高めてくれることでしょう。

だから一日二ページずつという無理のない勉強量は妥当な計画であると思います。また、実行したら○で囲むのもよい習慣です。自分のやるべきこと、やってきたことを明確に示すことは、意欲を持続する上で有利に働くでしょう。

この体験談で、もっとも素晴らしいと感じたことは、登下校の空き時間を利用して復習をしていることです。「復習」は勉学の大切な鉄則です。にもかかわらず、多くの学生は「遊びや部活にも時間を割きたいから」「ほかに勉強しなければならないことがあるから」などと、復習の優先順位を低くしているようです。

しかし、この体験談のように、ちょっとした工夫とアイデアで時間はいくらでも作り出せるはずなのです。勉強は復習重視と頭を切り替えましょう。私の個人的な感覚では、予習、学習、復習の比率は$\frac{1}{4}$：1：4程度が適度だと考えています。

２－３　繰り返しの効果

忘却曲線の実験を通じて、間違った勉強法では忘れることが速まったり、覚えたことが混乱したりすることが分かりました。しかし、忘却曲線が教えてくれることはこれだけではありません。次に、忘却曲線の傾きを緩やかにする、つまり覚えたことを忘れにくくする方法を考えてみましょう。

最初の実験で、皆さんは単語を十個覚えましたが、せっかく覚えたその単語も時間がたてば自然と忘れていきます。きっといつかは十個全部を忘れてしまうことでしょう。

しかし、それは本当に脳からすっかり消え去ってしまったのでしょうか。どうやらそんなことはないようです。ためしに、単語を完全に思い出せなくなった後に、同じ十個の単語をふたたび暗記し直してみましょう。そしてもう一度テストをします。するとどうでしょう。一回目のテストの時とくらべて、今回の方がよく覚えていられることに気づくはずです。二回目は忘れにくくなっているのです。平均的な

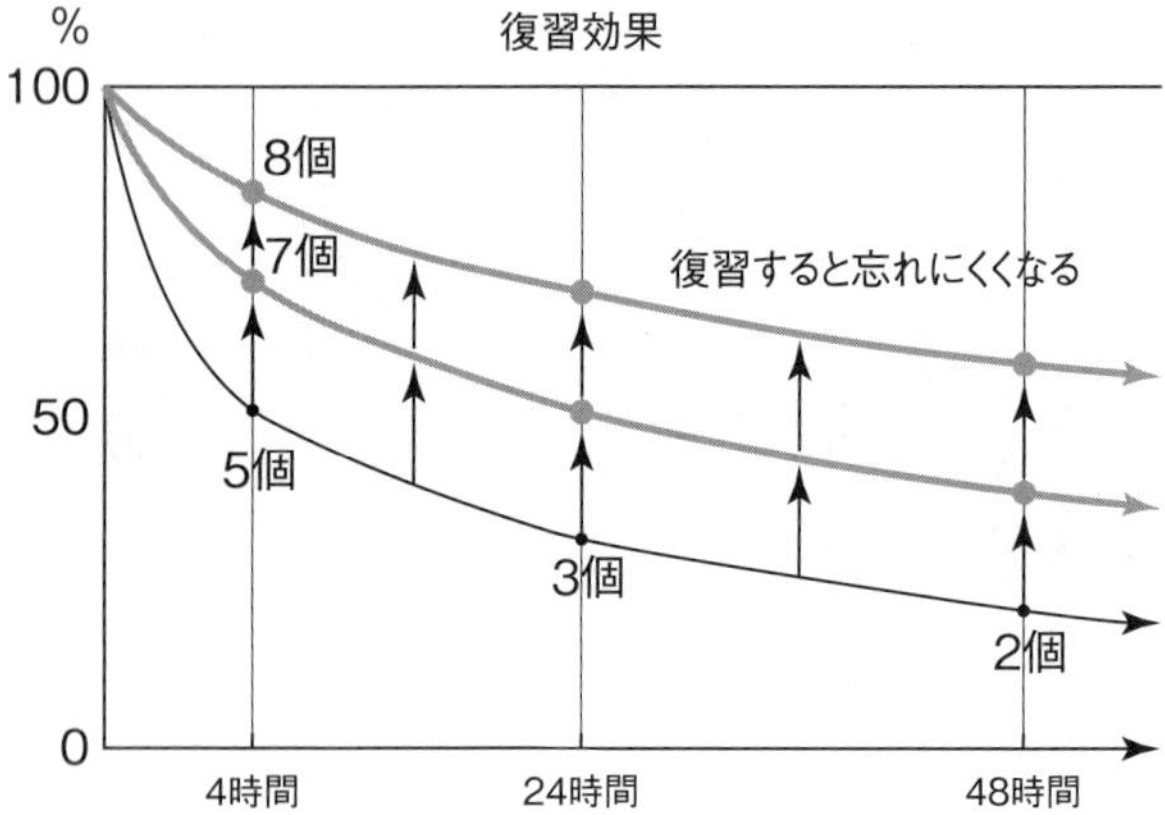

成績でいえば、おそらく四時間後でも六個から七個くらいは覚えていられるはずです。

さらにこれを繰り返してみましょう。つまり、二回目に覚えた単語をふたたび思い出せなくなった後で、さらにもう一度、同じ単語の暗記を行ってみるのです。三度目にもなると、さらに効果はてきめんで、もっと忘れにくくなっていることでしょう。四時間後に八個から九個は思い出せるはずです。

もし皆さんが友達をここに呼んできて、いっしょに単語の丸暗記競争をしたとしましょう。どんなにがんばっても四時間後に半分は忘れてしまうその友達は、すっかりあなたを記憶術の天才だと勘違いしてくれるはずです。つまり学習を繰り返すと、あたかも記憶力がアップしたかのように見えるのです。

それにしても、暗記を繰り返すとどうしてこのように記憶力がアップするのでしょうか。最初の暗記内容は完全に思い出せなくなってしまったのですから、もはやその単語は皆さんの脳からはすっかり消えてなくなってしまったはずです。それにもかかわらず、二回目は一回目よりも成績がよいのです。不思議ではありませんか。

じつは、その単語は、脳から完全に消されてしまったわけではなかったのです。ただ思い出せなくなっていただけで、ちゃんと脳の中には残っていたのです。皆さんはすっかり忘れてしまったかのように感じたかもしれませんが、無意識の世界にしっかりと保存されているのです。ただし、それはあくまでも潜在的な痕跡《こんせき》にすぎず、思い出すことができなかったわけです。

学習を繰り返した場合には、無意識の痕跡が気づかないうちに暗記を助けて、テストの成績を上昇させるのです。だから、学習を繰り返すとまるで記憶力がアップしたように見えるわけです。

このことから、勉学において、何度も繰り返すこと、つまり「復習」がいかに大切であるかがよく分かります。復習すれば忘れる速さが遅くなるのです。

体験談3

自分は何のために勉強しているのだろう

小さい頃からずっと母親に「どんな授業もまじめに受けなさい。そうでないと、先生に失礼だ」と言われてきたことを正しいと信じてきた。

ところが高二のとき、文系・理系の進路選択を迫られて、ハタと「自分は何のために勉強しているんだろう」と思うようになった。それから半年間、勉強に身が入らなくなった。模試でよい偏差値をとるとか、難関大学に合格しようと必死で勉強している友達がうらやましい気もしたが、目先の目標よりももっと本質的な、勉強する目的自体を失った私には、以前のような情熱は起きようはずもなかった。

半月ほど前のこと、私の通っている予備校で職業適性検査を受けた。その結果、私にはじっくりと腰をすえて取り組む研究職が、偏差値八十七という極端な数値で出た。何となくいいなと感じていた分野に適性があると言われたことが、自分を活かせる職業があって今やっている勉強もその基礎固めになっていると感じて、超スランプを脱出した。（高二・東京）

著者からのコメント

すでに研究職をしている私としては、そういう目標をもってもらえることは個人的にもうれしいことです。

確かに高校二年生のころは、いわゆる中だるみの時期でもあるせいか、人生についてさまざまな側面から、その価値や意味を考えこんでしまいます。私自身もそうでしたから。

そうした思索期は、子供時代から脱却して自己を確立するための重要な精神過程かもしれませんが、現状や将来の展望に絶望的な考えを抱き意欲を失ってしまう学生も少なくないようです。体験談のように、人生の目標を見つけることができた人は幸せだと思います。

逆に言えば、高二という不安定な時代は、もっとも学力差がつく時期であるとも言えます。

もし「自分は何のために勉強しているのだろう」と疑問に思うことがあったら、この本の「おわりに」を読んでみてください。

登山の目標は山頂と決まっている。しかし、人生のおもしろさはその山頂にはなく、かえって逆境の、山の中腹にある。

吉川英治（作家）

2-4　がむしゃらだけでは報われない

皆さんは「復習」の大切さを知りました。しかし、ひとくちに復習といっても、ただただ何も考えずに復習すればよいというわけではありません。そこで、復習において注意しておきたいことを、三つ取りあげて説明します。

一つ目は、復習をいつやればよいのかというタイミングについてです。どれほどの間隔をあけて復習をすれば、もっとも高い効果があげられるのでしょうか。

先ほどの三文字単語の暗記テストを使って、実際に試してみると分かるのですが、二回目の学習までに一カ月以上の間隔をあけてしまうと、記憶力はあまりアップしません。つまり、潜在的な記憶の保存時間は一カ月のようです。一カ月以内に復習しなければ、潜在的な記憶も無効になってしまいます。復習はいつやっても効果があるというわけではありません。最低でも一カ月以内に復習するようにしましょう。

なぜ無意識の記憶には賞味期限があるのでしょうか。じつは「海馬」が鍵《かぎ》を握っています。海馬は脳に入ってきた情報の取捨選択をする工場です。海馬に情報が留まっている期間は、情報の種類によっても異なりますが、短い場合ですと、一カ月程度のようなのです。海馬は情報を一カ月かけて整理《せいり》整頓《せいとん》し、何が本当に必要な情報なのかを選定しているのです。

だから、一カ月以上をあけて復習しても、海馬にとってははじめて習ったことと同じことになってしまうのでしょう。逆に一カ月以内に何度も復習をすれば、海馬は「わずか一カ月の間にこんなに何度も！　これはきっと大切なものなのだろう」と勘違いしてくれるわけです。

もちろん、同じ一回の復習でも、海馬により多くの情報を送った方が勘違いしてくれる可能性が高くなります。つまり復習のときも、はじめて学習するときと同様に、目で追うだけでなく手で書く、声に出すといった努力をして、できるかぎり多くの五感を使うべきです。こうした目・耳・手などの五感の情報はすべて海馬を刺激するのに役立ちます。

海馬の性質を考え、次のような復習のプランを提案したいと思います。

学習した翌日に、一回目
その一週間後に、二回目

二回目の復習から二週間後に、三回目
三回目の復習から一カ月後に、四回目

というように、全部で四回の復習を、少しずつ間隔をあけながら、全二カ月かけて行うことです。このように繰り返せば、海馬はその情報を必要な記憶だと判定します。

この学習プログラムを組み込んだスマートフォンの学習支援アプリとして「i暗記」（レッドフォックス社、池谷裕二監修）がありますので、興味のある方は試してみてください（二〇一一年夏の現時点で iPhone 用とアンドロイド版が開発されています）。

逆に、これ以上に復習をたくさんする必要はないと思います。

筋肉トレーニングでもそうです。筋肉をつけるために、鉄アレイを毎日持ち上げる必要はありません。二日に一回トレーニングするだけで、毎日やったのと同じ効果が現われます。それと同じように、復習スケジュールを必要以上に過密にして労力を費やしても、成果は変わらないようです。

時間の使い方のもっとも下手なものが、まずその短さについて苦情をいう。
ラ・ブリュイエール（作家）

不要な復習に時間を割くのなら、ほかの勉強に時間を使った方がよいでしょう。

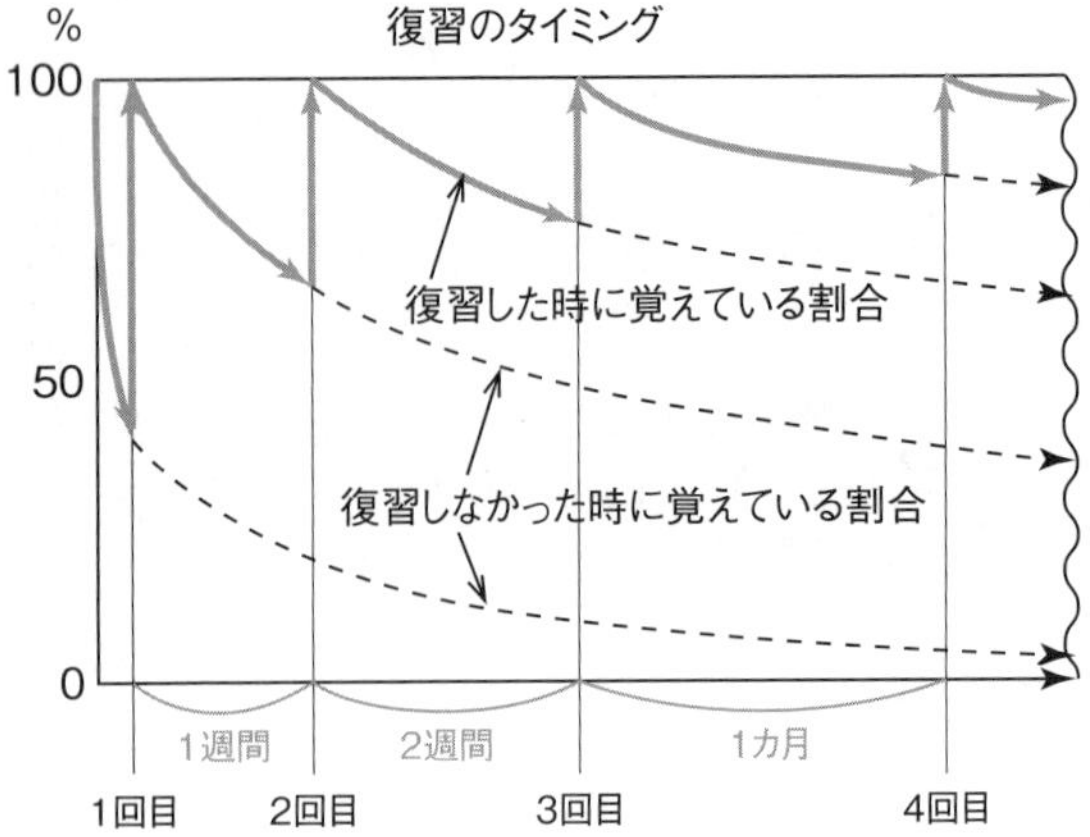

以上が注意点の一つ目です。

二つ目の注意点は、復習の「内容」についてです。

復習の効果は同じ内容のものに対して生じます。たとえば、さきほど単語の暗記テストで、もし二回目に異なる十個の単語を暗記したとしても、記憶力はアップしません。覚える内容が変わると、効果が出ないのです。それどころか、記憶の干渉が起こって、成績が低下してしまう恐れがあります。これでは復習効果どころではありません。

ですから、復習は同じ内容の学習を繰り返すことが肝心です。だからこそ「復習」と呼ぶのです。

たとえば、皆さんは勉強をするときに、学校の教科書以外にも参考書や問題集を使っていると思います。本当に自分に合ったよい参考書を探し出すのは、なかなか大変なものです。実際、書店の参考書売り場には、参考書選びの参考書などという不思議な本も置いてあるくらいですから。

もしかしたら皆さんの中には、少しでもよい参考書はないかと、何冊も参考書を買って少しずつ使い試しをしている人がいるかもしれません。しかし私は、参考書の探索はよい趣味だとは思いません。

その理由は、まさに「復習」効果です。同じ科目でも、参考書が替われば、また一からその参考書を理解し直さなければなりません。復習効果はあくまでも同じ対象に対して現われるのです。これはとても重要なことですから、肝に銘じてください。

参考書の良し悪しが気になって仕方がない人は、情報に敏感になりすぎていることはないでしょうか。周囲の人や本の情報に惑わされて、参考書をアレコレと取り替え

ているとしたら、復習効果をみすみす放棄しているようなもの。ほとんど自殺行為です。

確かに、世の中にはよい参考書と悪い参考書があるかもしれません。しかし実際には、皆さんが気にするほど大きな差があるわけではありません。なぜなら参考書を執筆する人は誰でも、なんとか皆さんの役に立とうと（あるいは、たくさん売って儲《もう》けようと）、苦心しながら書いているからです。だから学校の教科書以上に様々な工夫がなされていて当然なのです。

参考書選びのコツは、第一印象で決めることに尽きます。インターネットで購入したりせず、できれば書店まで足を運んで、実物を手にとって眺めながら、自分自身で選びましょう。そして、一度決めた参考書は、浮気せず、最後まで使い切りましょう。

決断せよ。そして、いったん決心したことは必ず実行に移せ。

フランクリン（科学者）

初志貫徹。他人が使っている参考書はもはや自分には関係ありません。参考書探しに時間やお金を費やしている余裕があったら、一度決めた参考書を何度も復習する方が賢い時間の使い方です。

私自身も学生時代は、参考書を何種類も使用せず限られた冊数を最低四、五回は繰り返したものです。頑固なくらいが、勉強にはちょうどよいのです。

2-5　脳は出力を重要視する

復習の三つ目の注意点は、脳は入力よりも出力を重要視するという事実です。次のような実験から分かりました。[3]

スワヒリ語の単語を四十個覚えてもらうというテストです。皆さんは初めての単語を覚えるときに、どう暗記するでしょうか。実験では四つのグループ1〜4に分かれて、別々の記憶法が試されました。どの方法がもっとも成績がよいかを競《きそ》ったのです。

まずどのグループも、とりあえずは四十個の単語リストをひと通り学習します。そして直後に確認テストをします。

当たり前ですが、知らない単語を四十個も一気に覚えられません。つまり、確認テストでは満点は取れません。そこでどうするかがポイントです。その対応法が四つのグループで異なります。

グループ1は、満点が取れなかったら、再度四十個のリストを全部見直して、もう一度四十問のテストに挑戦するのです。それでも満点が取れなければ、また四十個を

学習よりもテストをするほうが記憶に残る

	暗記し直す単語	テストする単語
グループ1	すべての単語	すべての単語
グループ2	間違えた単語のみ	すべての単語
グループ3	すべての単語	間違えた単語のみ
グループ4	間違えた単語のみ	間違えた単語のみ

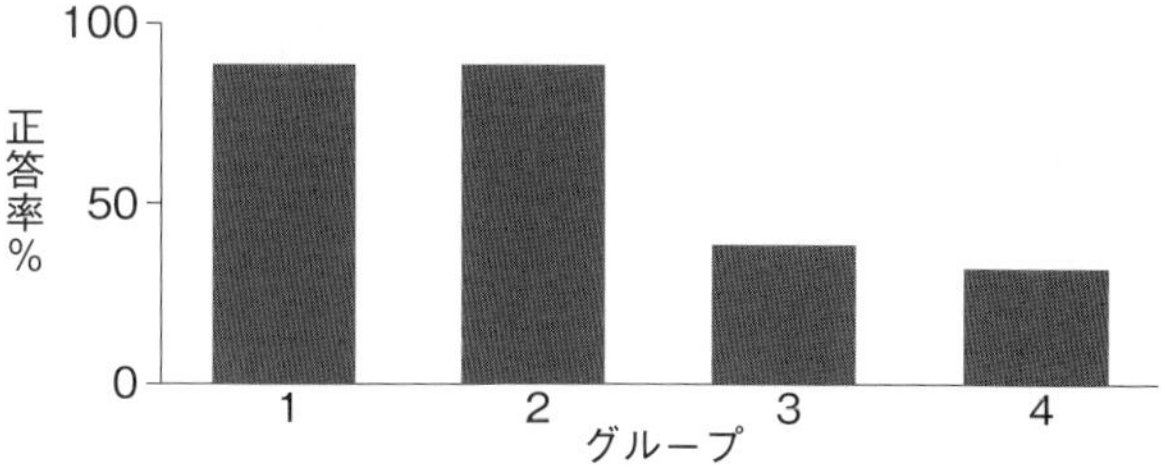

見直し、またテストします。こうしてテストで満点が取れるまで、この「学習&確認テスト」のセットを繰り返してゆきます。

　グループ2は、ちょっと手抜きをします。全部見直すのは面倒なので、テストで間違えたところだけを見直して、さきほどの四十問テストに再トライするわけです。また間違えたら、そこだけを見直して、再びテストに臨みます。満点が取れるまで繰り返します。

　グループ3は、グループ2の裏バージョンです。見直しは四十個全部きちんとやります。でも、テストは間違えたところだけを解くのです。また間違えてしまったら、また一から全部見直し、そして、先ほど間違えたところだけをテストします。こうして、間違える箇所がなくなるまで繰り返します。

最後のグループ4は、もっとも一般的な方法でしょう。学校や塾ではこの方法を取ることが多いと思います。つまり、間違えたところだけを見直して、そこだけを再テストするという方法です。そして、間違いがゼロになるまで繰り返します。

さて、この四つのグループ。覚えるのがもっとも早かったのはどのグループでしょうか。驚くかもしれませんが、じつは、グループ間の差はなく、覚えるまでの繰り返し数は、どのグループでも同じだったのです。

ところが、一週間後に同じテストをすると、意外なほど点数に差が開きました。どうなったと思いますか。

グループ1とグループ2は約八十点、グループ3とグループ4はなんとほぼ三十五点しか取れなかったのです。二倍以上も成績が異なりました。

一体どういうことなのでしょうか。

成績のよかったグループ1と2で共通している部分に着目してみましょう。グループ1と2は、確認テストを全問繰り返しています。グループ3は、見直しは全部やっていますが、テストは間違えたところしかやっていません。

これこそが脳の本質です。

脳には「入力」と「出力」があります。単語を叩《たた》き込んで覚えるという行為は「入力」に相当します。一方、蓄えた情報をもとにテストを解いてみるという行為は「出力」に相当します。

実験結果の意味していることは、記憶するには出力（テスト）を、手を抜かずにやったほうがよいということです。

もちろん、情報の入力と出力はどちらも大切なのです。入力のない出力はありえませんから。しかし、脳がどちらをより重要視しているかといえば、圧倒的に「出力」です。脳は出力依存型なのです。

この事実を、脳の立場になって、改めて考えてみましょう。脳には毎日ありとあらゆる情報が入ってきますが、そのすべてを覚えておくことはできません。記憶すべき情報を取捨選択しなくてはなりません。では、一体なにを基準に、脳は記憶すべきものと不要なものを判断しているのでしょうか。

これまで何度も力説してきたように「復習の回数」が基準になっています。しかし、これを「何度も脳に情報を送り込むのが得策だ」と解釈しては間違いです。これは、海馬が「こんなに繰り返し同じ情報が短期間にやってくるということは、それだけ重要な情報にちがいない。だったら覚えよう」と勘違いしてくれる効果を狙《ねら》っているわけです。

しかし、スワヒリ語の暗記実験から、この考えでは不十分なことが分かります。大切なのは「出力」です。海馬の立場から言えば、「この情報はこれほど使用する機会が多いのか。ならば覚えなければ」と判断するというわけです。

ですから、「詰め込み型」の勉強法よりも、「知識活用型」の勉強法のほうが、効率的だということになります。

身近な例に応用するのであれば、教科書や参考書を何度も見直すよりも、問題集を何度も解くような復習法のほうが、効果的に学習できるはずです。

第3章
海馬とLTP

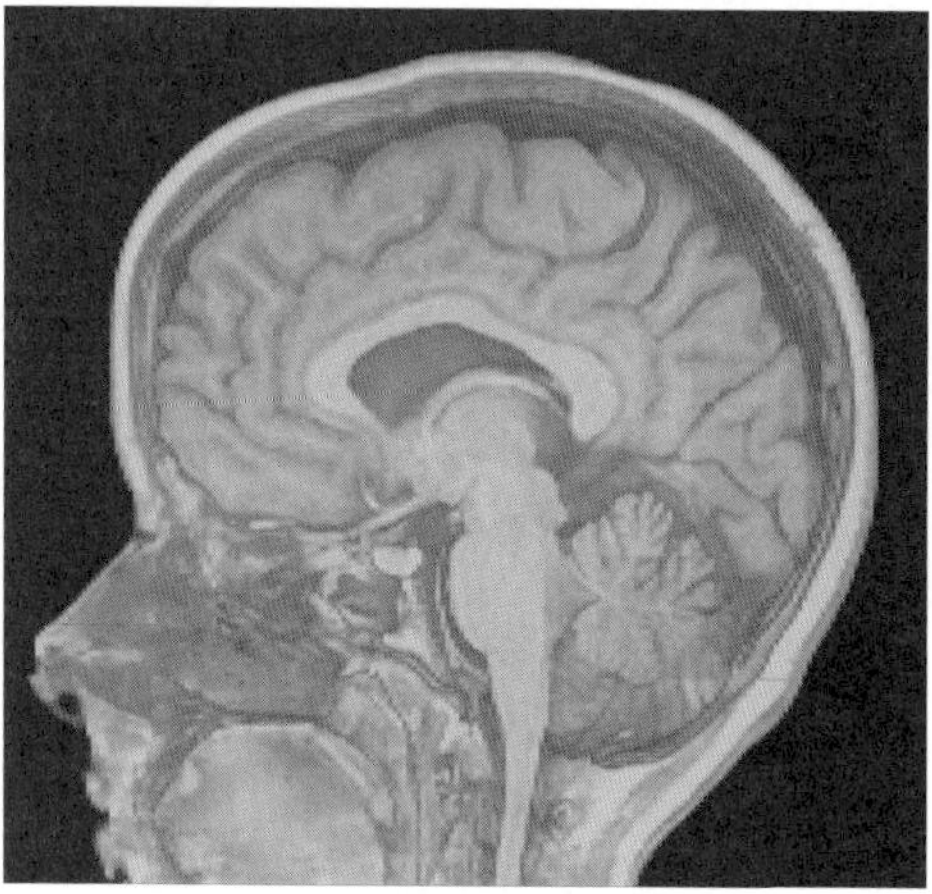

頭部のMRI像

3－1 記憶の鍵《かぎ》をにぎるLTP

この章では、海馬の神経細胞の性質から、脳の記憶の性質について考えてみましょう。

神経細胞一つひとつがもっている小さな性質から、皆さんは多くのことを学ぶことができるはずです。なぜなら、脳の機能は神経細胞が作り上げているからです。それが海馬の神経細胞の性質であれば、なおさら当然のことでしょう。

私は、「海馬と記憶」の研究を行って博士号を取りました。いわば海馬の博士です。そこで、この章では専門家ならではの知識を活かして、海馬の性質の話をしましょう。実際に、海馬の神経細胞にはおもしろい性質が多く備わっています。その代表例がLTPです。というわけでまず、このLTPとは何かについて説明しましょう。

近年の脳科学では、かつては考えられなかったような高度な実験が可能になっています。たとえば、ヒトや動物の神経細胞の活動を記録しつつ、同時に神経細胞を刺激することさえできるのです。私はこの技術を使って、海馬にそっと細い電極を刺して、海馬を繰り返し刺激してみました。するとどうでしょう。神経細胞同士の結びつきが強くなったのです。しかも、刺激のあと、ずっと結合度が増強したままでした。つまり、長期的に神経細胞が活性化されたのです。

これは「長期増強（long-term potentiation）」として知られている現象です。[4] 最近では英名のイニシャルをとってＬＴＰと呼ばれています。この本でもＬＴＰとカッコよく呼ぶことにしましょう。

ＬＴＰは脳の「記憶の素《もと》」です。これは簡単な実験で調べることができます。薬を与えたり遺伝子を操作したりして、脳からＬＴＰをなくしてしまった時に、その動物に何が起こるかをチェックすればよいわけです。実際、ＬＴＰを奪われた動物は、気の毒なことに、記憶ができなくなってしまいます。この実験結果から、記憶はＬＴＰによって作り上げられていることが分かります。

逆に、ＬＴＰがよく起こるようにした動物では、記憶力が高まります。海馬のＬＴＰが起きやすい状態になれば、学習能力が向上するというわけです。ということは、動物実験でＬＴＰがよく生じる方法を見つけることができれば、私たちの勉強にも役立つヒントが見えてくることになります。

まず、注目すべき点は、ＬＴＰは神経細胞を繰り返し刺激して生じる現象だという

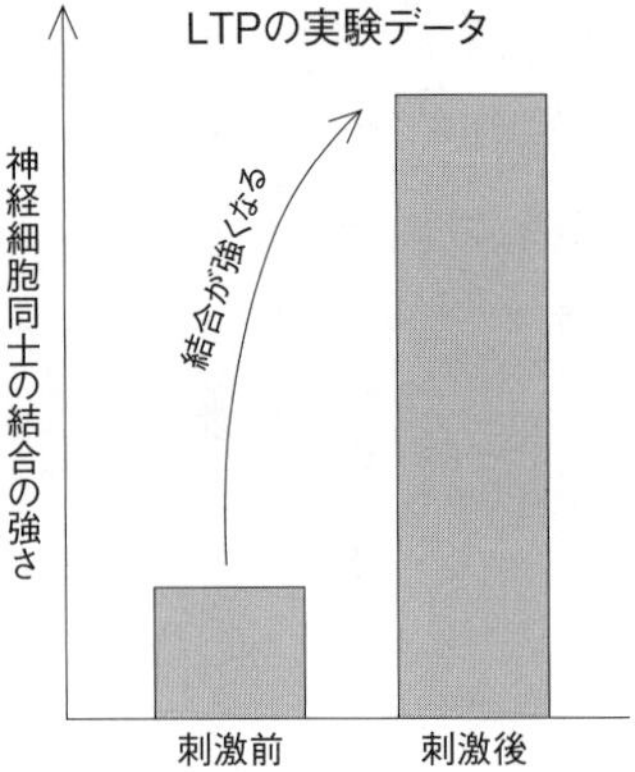

ことです。海馬を一回刺激しただけでは、決してＬＴＰは起こりません。何度もなんども刺激を反復して、はじめてＬＴＰが生じます。

要するに、海馬の神経細胞そのものが繰り返しの刺激、つまり「復習」を必要としているのです。神経細胞それ自体がそうなのですから、私たちに復習が必要なことはもはや避けられません。運命なのです。復習もしないで何かを習得しようという態度は、脳科学的に見ても、間違った姿勢だと言えます。

ただし、ここでガッカリするのはまだ早いでしょう。問題なのは、繰り返し（復習）を必要としているという事実ではありません。そうではなくて、この繰り返す刺激の「回数」を何とかして減らすことができないだろうかと考えることです。

実際、刺激を繰り返す回数を少なくすませる秘策があります。この方法を利用すると、より簡単にＬＴＰを引き起こすことができます。効率のよい勉強法への道が、そこに隠されているというわけです。それでは、その方法について二つの秘訣《ひけつ》を説明していきましょう。

脳心理学コラム4

モーツァルト効果

「モーツァルト効果」という言葉があります。モーツァルトを聴くと頭がよくなる効果のことです。これだけ聞くとウサン臭い気もしますが、実際に科学論文として発表されている効果です。[5]そういえば、東大生は他大学の学生にくらべ、幼少時に楽器を習っていた人の割合が高いという話を聞いたことがあります。モーツァルト効果と関係があるかどうかは定かではありませんが、おもしろい指摘だと思います。

モーツァルト効果は、ウィスコンシン大学のラウシャー博士によって発見されました。ただし、頭がよくなるといっても一時的な効果です。一時間ほども持続しません。しかし、効果はてきめんで、知能指数（IQ）が八～九ポイントも高まるというから驚かされます。

ただし、注意しなければならないのは、音楽はモーツァルトのものに限るらしいのです。バッハの音楽にも多少の効果があるのですが、そのほかの作曲家、たとえばショパンやベートーベンには効果がないようです。これこそが「モーツァルト効果」と呼ばれる理由です。モーツアルトの美しいメロディーで右脳が、そして心地よいリズムで左脳がバランスよく活動するのがポイントだとラウシャー博士は説明しています。

皆さんも勉強の休憩にモーツァルトはいかがでしょうか。私は内田光子《みつこ》さんの弾くピアノ協奏曲やピアノソナタをよく聴いています。

3-2　童心こそ成績向上の栄養素

ＬＴＰを起こすために刺激を繰り返す回数を減らす秘訣の一つ目は、その刺激を、ある「脳波」の出ている状態で与えることです。

脳波と聞けば、おそらく皆さんはアルファ波やベータ波を思い浮かべるでしょう。リラックスしているとき脳にアルファ波が現われると、テレビや雑誌などでも見たことがあるのではないでしょうか。

しかし、ここでいう脳波はちょっと異なります。その名は「シータ波」。アルファ波やベータ波よりもゆっくりとしたリズムの脳波です。この脳波の名前を聞くのは初めてかもしれませんが、記憶においては、もっとも大切な脳波だと言い切ってよいほど重要なものです。

シータ波は「好奇心」の象徴です。はじめてのものに出会ったり、未知の場所にきたりすると、自然に脳に生じる脳波です。つまり、わくわくしたり、ドキドキしたりして、好奇心が強く外に向かっている状態です。反対に、飽きたりマンネリ化したり

さまざまな脳波

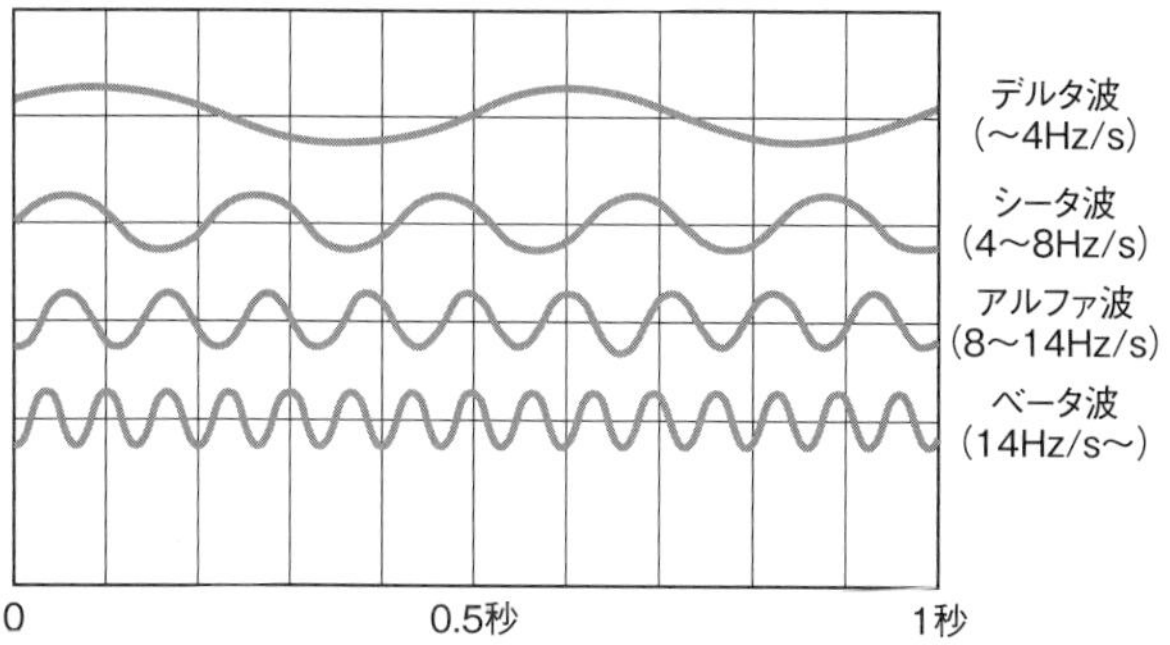

して興味が薄れると、シータ波は消えてしまいます。興味をもって対象に向かうときにシータ波が出るのです。

おもしろいことに、シータ波が出ている海馬では、少ない刺激の回数でLTPが起こります。[6] うまく刺激すると、繰り返す回数を八十%〜九十%も減らすことが可能です。十分の一の刺激数で済むのです。

こうした事実から、興味をもっているものごとは復習回数が少なくても覚えられることがうかがえます。たしかに、興味の対象、たとえば好きな歌手グループのメンバーやスポーツ選手の名前などは、苦手教科の知識にくらべて、楽に覚えられるものです。こうした記憶力増強は、おそらくシータ波のなせるわざでしょう。

さて、ＬＴＰの性質を通して、覚えようとする対象に「いかに興味を持つか」がとても重要なことが分かりました。つまり、勉強を「つまらない」と思いながらやると、結局は復習の回数が余分にかかるだけなのです。時間のムダです。

食欲がないのに食べると健康を害するように、欲求がないのに学習すると記憶を損なう。

ダ・ビンチ（芸術家）

「今日は気ノリがしないな」と感じたら、少し休憩をして再度トライしましょう。また、そんな日は潔《いさぎよ》く寝てしまって、明日への意欲を養うのも別案としてよいかもしれません。

ところで、そもそも勉強がおもしろいはずはないと思っている人はいませんか。それは大きな勘違いです。確かに、テスト自体は決して楽しいものではありませんが、テストのことを考えなければ、どんな教科でもきっと興味を惹《ひ》かれるところがあるものです。

私は、世の中のものごとは、どんな対象であっても、必ず奥深いものだと信じています。「物は試し」と言いますが、外から眺めているだけでは、おもしろみが分からないというケースはたくさんあります。やってみてはじめて分かる楽しさがあるのです。しかも、その道を究めれば究めるほど、おもしろさが分かるようになってきます。

人は、教育がつけばつくほど、ますます好奇心が強くなる。

ルソー（啓蒙《けいもう》思想家）

だから、もし皆さんが「つまらない」という言葉を口にすることがあるとすれば、それは「私は無知です」と自ら暴露していることになります。

勉強でも同じです。もし、つまらないと感じたとしても、しばらくは我慢して続けてみましょう。そうすれば、きっと、おもしろさを見つけることができるはずです。そのときには、皆さんの脳は自然とシータ波を出していることでしょう。

ダイアーは次のように言っています。「よし、朝だ！」というのも「あーあ、朝か」というのも、あなたの考え方しだいだ、と。確かにそうです。気の持ちようなのです。感動をいつまでも忘れない子供のような心。シータ波を出すためには「童心《どうしん》」と「憧心」が大切です。

脳心理学コラム5

アセチルコリン

頭を良くするための薬は昔から人類の憧《あこが》れでした。飲むだけで記憶力がアップする薬があったらどんなに楽でしょうか。

DHAをはじめとして、脳に効くさまざまな食品や薬が、古くから思案され試されてきました。しかし逆に、それほど色々あるという事実は、それだけ決め手に欠けるということでもあります。皆さんもあまり情報を過信しない方がよいと思います。

一方で、頭の働きを悪くしてしまう薬は意外なほど多くあります。たとえば、脳のアセチルコリンという物質の働きを抑えてしまう薬物です。アセチルコリンは、シータ波のもとです。海馬を活性化させて意識をハッキリさせたり、記憶力を高める働きをしています。

皆さんの味方であるはずのアセチルコリンの働きを妨げてしまう薬が、じつは皆さんの周りにはたくさん存在しています。たとえば、誰でも一度は飲んだことのある「カゼ薬」や「ゲリ止め」や「乗り物の酔い止め」などです。実際に、カゼ薬を飲むと頭がボーッとしたり眠くなったりしたことがあるでしょう。脳のアセチルコリンが抑制された証拠です。ですから、テストのとき、風邪をひいているわけでもないのに「念のため」などと薬を飲むと、悲惨な結果が待っていることになりかねません。

もちろん、副作用を気にしすぎて薬を避け、病気が悪化してしまっては本末転倒です。どんな薬にも副作用はありますが、むやみに恐れるのではなく、副作用について正しく理解して、薬を服用することが大切です。

どうしてもテスト前にカゼ薬やゲリ止めを飲まなくてはならなくなったときには、脳のアセチルコリンを阻害する成分が含まれていない薬もありますから、こうした

頭が良くなる
クスリだよ
フフフ……
スコポラミン
ジフェンヒドラミン

薬を選べば安心してテストを受けることができるでしょう。薬局の薬剤師に「この薬には脳のアセチルコリンを抑制してしまう成分が含まれていますか？」と聞けば親切に教えてくれるはずです。

ちなみに、アセチルコリンの働きを邪魔する成分として有名なものに、「スコポラミン」や「ジフェンヒドラミン」などがあります。手持ちの薬の成分欄をチェックしてみてください。

3-3　思い出という記憶の正体

より少ない刺激回数でＬＴＰを起こすには、シータ波が効果的であることを説明しました。しかし、もう一つとても効果的なＬＴＰの起こし方があります。それは、私自身が世界にさきがけて発見した現象です。[7]

その方法とは「扁桃体《へんとうたい》」という脳の神経細胞を活動させることです。

扁桃体は、海馬のすぐ隣にある脳部位です。小指の爪《つめ》くらいの大きさのちっぽけな場所なのですが、動物にとってとても大切な役割をしています。感情を生み出す働きをしているのです。喜びや、悲しみや、不安などを作っているのです。海馬が記憶工場だとしたら、扁桃体は感情の工場だと言えます。

扁桃体が活動するとＬＴＰが起きやすくなります。言い換えれば、感情が盛んなときにはものごとが覚えやすいことになります。

そう言われてみれば、確かに昔のことでよく覚えていることは、楽しかった行事や悲しかった事件など、何らかの感情が絡《から》んでいることが多いでしょう。人間は、そうした記憶を「思い出」という特別な言葉で呼んで、心の中に大切にしまっています。その実体は、扁桃体が活動したからＬＴＰが起きやすくなったという現象によって説明できます。

さて、「思い出」という記憶が、ほかの記憶にくらべて、より強くヒトの脳に刻まれる理由を考えてみましょう。どうして思い出が心に残る必要があるのでしょうか。日常生活で重要な意味があるのでしょうか。

その理由は、ヒトの生活を観察していただけでは分かりません。そうではなく、進化の過程で、まだ野山をかけまわる野生動物だったころの原始生活を考えてみなければなりません。扁桃体が記憶力を高めるという現象は、動物たちにとっては命に係わる深い意味があるのです。

現代の都会生活をしているヒトとは違い、大自然の中で生活する動物たちは、常に生命の危機にさらされています。命を落としかねない怖い体験もたくさんするでしょうし、エサの心配もしなければなりません。こうした危機を効率よく回避するために、動物たちは、敵に会って感じた恐怖や、エサにありついた場所を、きちんと脳に記憶しておく必要があります。

生命にかかわる重要な情報をいかにすばやく、つまり、少ない復習回数で、しっかりと記憶できるか否かは、動物にとって生命の存続にかかわる重大な問題です。そのための作戦が「感情による記憶能力の促進」なのです。だから脳は、扁桃体の活動によって、感情が絡んだ経験をしっかりと覚えていられるように作られているのでしょう。

進化の過程で培《つちか》われたこの特殊な記憶力は、いまだにヒトの脳に残っています。「思い出作り」というと、なんとなく心の温まる人間性あふれる営みのように感じますが、じつは、動物の命をかけた生き残り戦争の名残だったのです。

体験談4

暗記の天才の秘密

友だちに暗記の天才がいます。東大の理Ⅲに現役で合格したやつなんですが、たとえば日本史年表を見ていて、ひょっと「この天皇の名前を覚えてみよう」という気になるらしいんです。すると、神武《じんむ》天皇から今上《きんじょう》天皇まで百二十五代の天皇の名前をなんと二時間で覚えたそうです。みんなの前で「神武—綏靖《すいぜい》—安寧《あんねい》—懿徳《いとく》—孝昭……」とものの一分足らずでまくし立てるんです。

みんな、「あいつは人間じゃない」とか「こんなやつといっしょにやってらんねぇ」と言うけど、あとで彼にそっと聞いたら、そいつの言うことには、「覚えるのが楽しくてしょうがない」……。

「暗記が楽しい」という人間にぼくははじめて会いました。変わり者だけど、見習うべきか。ぼくはこれまで、「暗記は嫌なもの、苦しいもの」と決めつけていたような気がして、ハッとしました。(東大・一年)

扁桃体と中隔野

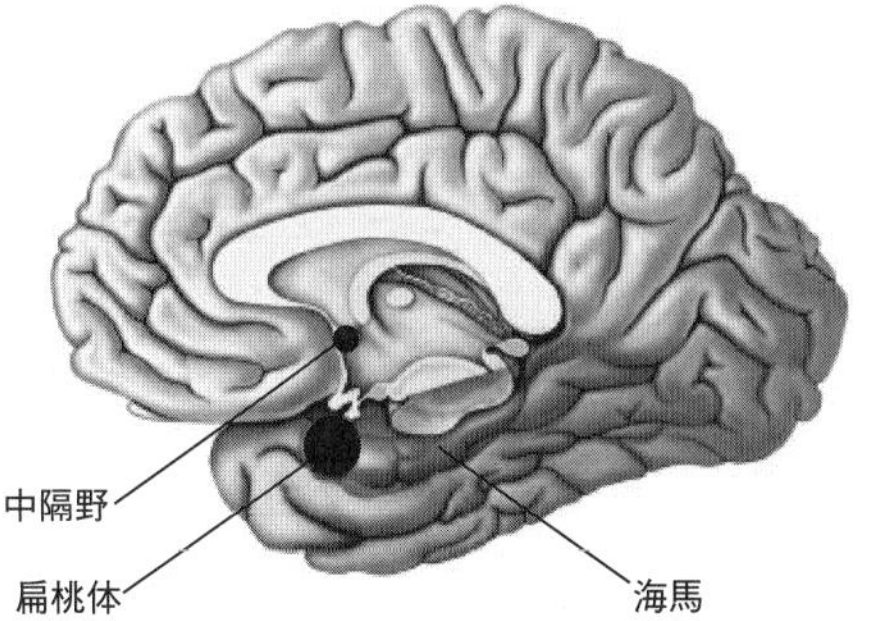

著者からのコメント

　勉強や丸暗記を含めて、なにごとでも楽しんでできれば、それに越したことはありません。扁桃体や側坐《そくざ》核《かく》などの脳部位で生まれる「楽しい」「快い」といった感情は、大脳の覚醒《かくせい》レベルを高め、意欲を強くし、ものごとに対して集中する力を与えると考えられています。さらに、中隔野という脳部位が海馬にシータ波を起こさせて記憶力を高めます。よいこと尽くめです。

　ところで「記憶」とは、口のせまい空《から》のペットボトルに水をためる行為であると想像してください。ペットボトルは大量の水をたくわえることができますが、ボトルの口径は小さいですから、たとえばバケツに水を汲《く》んできて、それをペットボトルの上にバシャーっと逆さまにひっくり返しても、水を効率よくためることはできないでしょう。ほとんどの水はボトルの外にこぼれてムダになってしまいます。これと同じことで、一度にたくさんの情報を脳にむやみに詰めこもうとしても限界があります。ほとんどの知識は身につかないはずです。

しかし、バケツではなくコップを使ってペットボトルに水を注ぐとか、ロートを使うなどの工夫をすれば、効率よく水を入れることができます。つまり、暗記術にもコツがあるのです。せっかく身近に暗記の天才がいるというのでしたら、ぜひともそのコツを聞いてみてはどうでしょう。秘訣《ひけつ》がなければ、それだけの量を暗記できるはずがないのですから。

ただし本当に重要なことは、「暗記する」ことそのものではなく、蓄えた知識やノウハウを、今後の人生で「いかに活かすか」であることを忘れてはいけません。

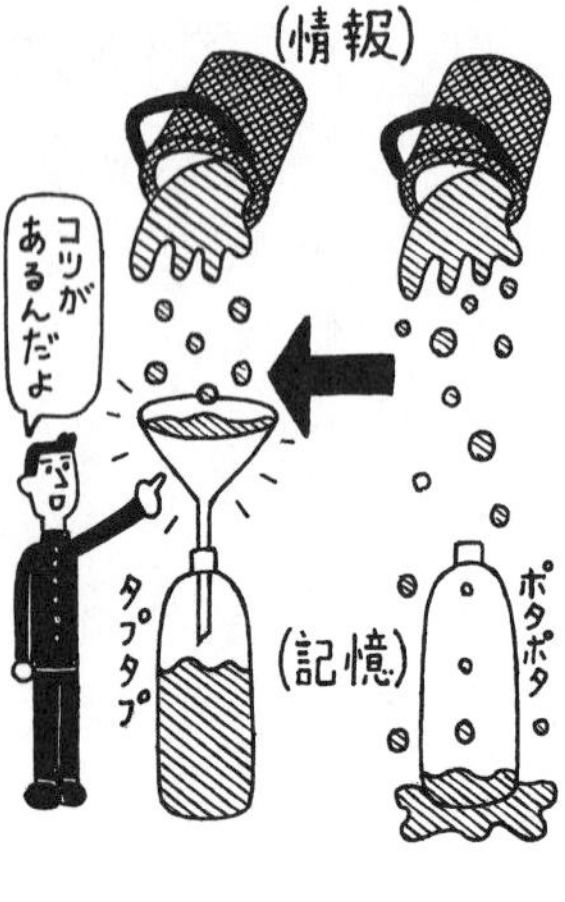

3-4　感動的学習法

扁桃体を使った記憶力増強は、動物の進化の過程でじっくりと培われたものですから、その効果はとても強力です。利用しない手はないでしょう。

たとえば、「一八一五年、ナポレオンはセント・ヘレナ島に流された」という教科書上の知識も、それを単に丸暗記するのではなく、そこに感情を交えて覚えてみたらいかがでしょうか。数々の作戦に失敗したナポレオンの無念さを実際に思い浮かべ、さらに島流しの刑を、自分自身が罰せられているかのように嘆かわしく思えば、脳はこの知識を自然に記憶しようとするでしょう。

教科書の内容なんかにいちいち感傷的になって涙するなんてアホらしい気もしますが、しかし私たちの脳には、そういう事実を強く記憶しようとする性質が備わっているのです。生物学的にも理に適《かな》っていますし、脳への負担も少ない方法です。ついでにナポレオンという人物像にも興味を抱いて、シータ波まで出せればより完璧《かんぺき》です。

ところで、皆さんの周りには、テストが近づくとふだんではとても覚え切れない量の知識を、一気に詰めこめられる人はいませんか。これは、テストに対する不安感や危機感が扁桃体を活性化して、記憶力が爆発的にアップしている状態だと考えられます。もちろん、このアクロバットはすべての人に可能なわけではありませんので、自分にその能力があるとは思わない方がいいでしょう。

それどころか、すでに述べたように、テスト直前の詰めこみには多くの難点があります。覚えていますか。無理に詰めこんだ知識は、すぐに消えてなくなってしまうのでした。しかし、ほかにも悪影響があります。

ストレスです。ＬＴＰはストレスには勝てません。ストレスから逃げられないとＬ

ＴＰは減弱してしまいます。[8] 記憶力はストレスによって低下してしまうのです。ストレスという観点からも、切羽詰まったテスト勉強は、よくないことが分かります。

だからといって、テスト前に念入りにプランを練って、余裕のありすぎるスケジュールを立ててしまうのも、また考えものです。緊張感が持続せず、やる気が沈滞してしまうのです。これもまた記憶にとっては好ましくありません。

「油断――それが人間のもっとも身近にいる敵である」と文豪シェイクスピアが戯曲を通して語っているように、マンネリ化せず、適度な緊張感を保ちながら、ＬＴＰを起こすシータ波（興味）と扁桃体（感情）という二つの秘訣を適切に活用して勉強することが、効率よく学習できるコツです。

体験談5

受験恐怖症

僕は中学受験でも、高校受験でも失敗した。だから、どんなことが起きても合格できるだけの実力をつけておこうと頑張っている。でも、どんなに頑張っても、どんなに模試でよい成績をとっても、本番の入試になるとどうしても失敗しそうな気がするのだ。

同じ兄弟なのに兄はまったく正反対だ。高校も大学も模試でD判定だったのに合格した。兄はずっと野球をやっているので、「本番の入試は、三年間汗と泥にまみれて練習してきた成果を発揮できる甲子園だと思うと、早くその日が来ないかとわくわくする。甲子園を楽しむという気持ちでやったら、テスト中にいろんなことを思い出した」という。なんともウラヤマしい性格ではないか。（高一・千葉）

著者からのコメント

発想の転換をするのが一番です。とはいっても一朝一夕にできるものではないですから、勉強とは関係のないところで、ポジティブシンキングの自己啓発をしてみるのがよいかもしれません。

また、「あがり症」の人は場数を踏むことがよい薬となります。模試はもちろん、できれば実際に受験して数をこなすということです。志望校を一つに絞らずに、志望大学を複数にして受験するとよいでしょう。また、大学受験に限らず、英検などの資格試験にも積極的にチャレンジして、試験本番であがらないような自分なりの心の準備方法を身につけてください。

ちなみに「試験への不安を書き出す」と緊張がほぐれることが知られています。[9]次のような実験から分かりました。テスト直前の十分間に、次の試験科目のどの部分がどう不安に感じているかを具体的に書き出すと、緊張感がほぐれ、十%ほど点数が向上しました。試験に関係ないことを書くのでは効果がありませんでしたから、「不安な気持ちを素直に吐き出す」ことが重要であることが分かります。あがり症の人は、ぜひ試してみましょう。

テストを受けるときの座る姿勢にも気をつけましょう。同じ作業をするのでも、背筋をピンと伸ばしてやるほうが猫背よりも自信が持てることが、実験から知られています。

とにかく大切なことは「自信」です。もちろん本当に自分に自信がある人なんてそんなにいないはずです。でも実は、自信には確信や根拠はいらないのです。「自分はできるんだ！」とひたすら自己暗示をかけるのです。スポーツ選手がよく使う心理作戦です。

3-5　ライオン法

最後に、記憶力増強法をもう少し違った観点から説明しましょう。皆さんの勉強に簡単に応用できるものです。

この方法を私は「ライオン法」と呼んでいます。私たちはヒトである前に動物です。動物たちは進化の過程で「記憶力」という能力を養ってきました。その痕跡《こんせき》がヒトにも残っていることを前提に考えるのです。

たとえば、自分がライオンになったことを想像してみてください。ライオンたちが草原で生活するうえで、どんなときに記憶を必要とするでしょうか。こう考えることで、何が記憶によいかを、自ずと理解できるはずです。三つの例を挙げてみましょう。

たとえば、生物にとっては「空腹」は危機的状態です。「腹が減っては戦はできぬ」と言いますが、この言葉はずいぶんと昔、おそらく、まだ食料の調達も食べるのもままならない時代の戦場での格言でしょう。現代社会のような飽食の時代に当てはめて、解釈してはいけないと思います。

ライオンだったら空腹になれば、狩りに出ます。狩りをするときは、まさに記憶力を使う時間帯です。実際、腹がすいているときの方が記憶力が高いことが科学的に証明されています。あまりにも飢餓的状態はさすがにマズいのですが、たとえば朝昼晩の食事前などは、脳が適度に危機を感じている状況です。

皆さんは学校から帰宅して夜寝るまでの間に、勉強時間をどこでとっているでしょうか。ほとんどの人は夕食をすませたあとに勉強を始めているようです。帰宅してから夕食までの間は、だらだらと過ごしがちでしょう。しかし、ライオンの例を考えれば分かるように、夕食前の空腹の時間こそが格好の学習時間なのです。

すこし専門的な話をすると、お腹が空っぽになるとグレリンというホルモンが胃から放出されます。このグレリンが血流に乗って海馬に届き、LTPを起こりやすくさせるのです[11]。

一方、食後は満腹になってグレリンが減少するだけでなく、胃や腸などに血液が集中するからでしょうか、頭脳の活動は低下しがちです。狩りを終えたライオンも胃が満たされたら木陰で昼寝をします。私たちも満腹になると眠くなります。

また、ライオンは狩りをするときに歩いたり走ったりします。歩くと海馬から自動的にシータ波が出ます[12]。その結果、記憶力が高まります。歩くことは記憶力アップのスイッチになっているのです。

　皆さんのなかには、歩きながら暗記すると覚えやすいことに気づいている人がいるかもしれません。私も高校時代はダイニングテーブルの周りをグルグルと回りながら、英単語や年号などを覚えていました。勉強机に向かって覚えるよりも効率がよいように感じていたからです。いま考えれば、シータ波のおかげだったのでしょう。ただし、一般道路を歩きながら暗記するのは、交通事故の危険性があるから控えてください。

　動物実験のデータによれば、自分の足で歩くことがもっとも効果的なシータ波の出し方のようですが、そうでなくても、たとえば乗り物で移動しているときでもシータ波が出ることが分かっています。バスや電車に揺られていたとしても、移動しているという事実を脳が感知していれば、シータ波が出るようです。

　さて、空腹や歩行だけでなく、部屋の温度に関してもライオン法を応用できます。動物は寒くなると危機感を感じます。冬になると獲物にありつけないことを本能的に知っているからでしょう。

　したがって、部屋の温度は若干低くした方が、学習効率が高まります。夏ならクーラーのよく効いた涼しい部屋で、逆に冬はあまり暖房を効かせすぎない方がいいでしょう。受験前の正月シーズンに、コタツに入って、熱いお茶をすすりながら、ヌクヌクと勉強するのはあまりお奨《すす》めしません。

また、室温が高いのは危機感が減るだけではなく、頭部全体の血流が変化してしまって、思考力が低下してしまうようです。脳温と室温にある程度の差がないと、頭はうまく働いてくれないのでしょう。古来言われて来た通り、「頭寒足熱」が原則です。

ライオン法を利用した方法として、ここでは、空腹と歩行と室温の三つを取りあげてみました。皆さんも独自に工夫をして、さまざまな場面に応用してみてください。意外な効果が現われることでしょう。もしよい方法を思いついたら、ぜひ私にも教えてください。動物の長い進化の過程で培《つちか》われた性質を利用している方法ですから、効果は保証されていると言ってよいでしょう。

脳心理学コラム6

情動喚起

自分の過去の記憶を思い返してみると、楽しかったことだとか辛《つら》かったことなどの感情が絡《から》んだ記憶が多いことに気づくと思います。いわゆる「思い出」と呼ばれる記憶です。喜怒哀楽などの感情は、脳の奥深くに潜むアーモンド状の形をした「扁桃体《へんとうたい》」という脳部位から生まれます。扁桃体が活動して感情が高まると、その神経信号が「思い出」という記憶を作り出します。つまり、喜怒哀楽など感情の起こっているときには、記憶が形成されやすくなります。扁桃体を使うと暗記しやすくなるというわけです。

しかし、扁桃体の効果はそれだけではありません。扁桃体が活動すると「記憶力」だけでなく、なんと、「集中力」までも高まるのです。扁桃体は、前頭葉（大脳皮質の一部）にも信号を送って、ものごとに対する集中力を持続させるようなのです。つまり、感情を呼び起こしてくれるものは飽きにくいのです。映画でも小説でも同じです。感動しているときは飽きずに最後まで鑑賞できます。こうした効果を「エモーショナル・アラウザル（情動喚起）」と言います。

つまり、飽きないように勉強を続けるためには、感情を高めるような工夫をすればよいのです。たとえば、語呂《ごろ》合わせを作るときには、ひたすらオヤジギャグに走るとか、内容をちょっぴりエッチなものにしてみるなどの工夫が考えられます。私の知る範囲では、たとえば『古文単語ゴロ513《ゴサーティーン》』（東進ブックス）を名（迷）参考書のひとつとしてお奨めしたいです。内容もさることながら、エモーショナル・アラウザルとはどういうものかを実体験するのにも最適です。

第4章

睡眠の不思議

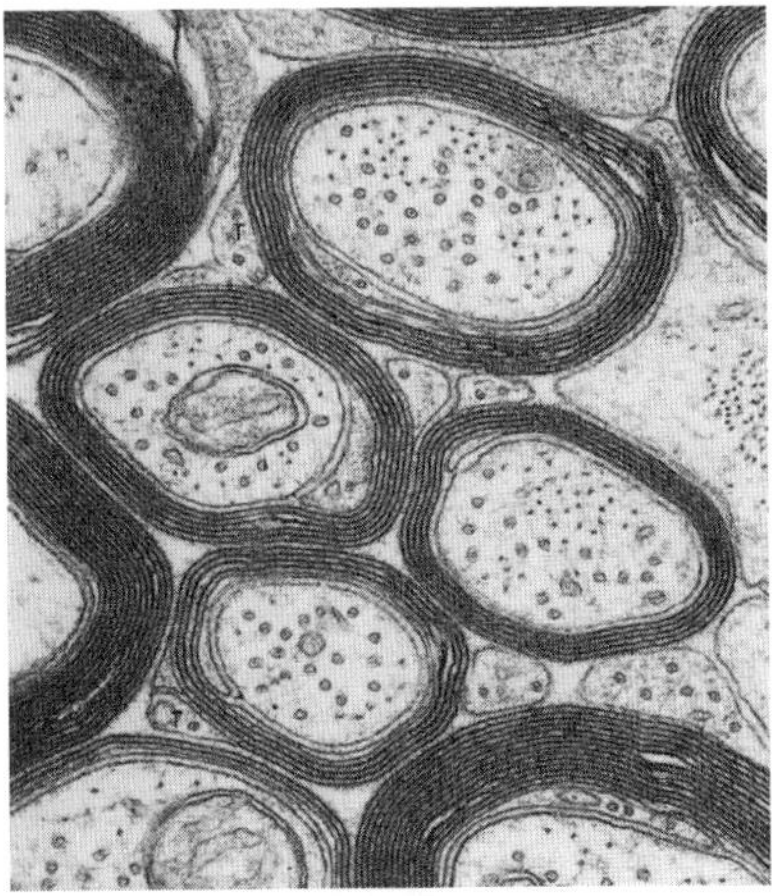

神経線維の断面図

4-1　眠ることも勉強のうち

これまで「復習」の大切さを何度も説明してきました。皆さんは、復習は努力してやるものだと思っていることでしょう。ところが驚くべきことに、努力しないまま、復習をしてしまうことがあるのです。睡眠です。眠っている間にも、脳は知らずしらずのうちに復習をしているのです。

最新の知見によれば、何か新しい知識を身につけたときには、その日のうちに十分な睡眠を取ることが推奨されています。逆に、一睡もせずに詰めこんだ情報は、すばやく脳から消えてしまうことでしょう。

そう言われてみれば、テストの直前に夜更《よふ》かしして丸暗記した知識は、結局は身につかず、きれいさっぱり忘れてしまいます。やむを得ず一夜漬けしているのでしょうが、ここはまず、睡眠が学習にとっていかに大切かを知っておいた方がよいでしょう。

その鍵《かぎ》もまた海馬が握っています。意外に思われるかもしれませんが、夢を見ている間、海馬はとてもさかんに活動しています。

夢は「記憶」の再生です。こう言われても、ピンと来ないかもしれません。「風変わりな夢や、神話の世界のような夢を見るではないか、あれは現実とは一切関係がないよ」という反論が聞こえてきそうです。

では、皆さんは古代ギリシャ語をペラペラとしゃべっている夢を見たことがありますか。もちろんないでしょう。なぜなら、脳に情報がないからです。脳に存在しないものは、いかに幻想的な夢といえども作りようがないのです。

つまり夢とは、脳にある情報や記憶の断片が、あれこれと組み合わされて作られたものなのです。夢を見る目的は、その組み合わせに意味があるのかどうかを試行錯誤するためだと考えている研究者もいます。

人はたった一晩でも膨大な夢を見ます。シーンのすべては、海馬の情報や、大脳皮質の記憶が夢の中で再現されているのです。起きたあとに思い出せる夢は、全体のほんの一部分です。あまりに妙な夢を見ると、「変な夢だ」と強い印象に残り、目覚めたあとでも覚えていられるのでしょう。

脳は睡眠中に、情報をさまざまな形で組み合わせ、整合性をテストし、過去の記憶を「整理」してゆきます。どの情報が必要か、どの情報が必要でないかを、海馬が吟味しているのでしょう。

したがって、寝ないということは、海馬に情報を整理し選択する余地を与えないことになります。結果は目に見えています。整理できないような情報は、廃棄されてしまうことでしょう。

寝ることは、覚えたことをしっかりと保つための大切な行為なのです。「テスト直前しか勉強しない。毎回徹夜だ」という人がいますが、睡眠を削ってしまっては、学力が積み上がっていくはずがありません。記憶は、脳に長く留まってはじめて意味のあるものです。一夜漬けしてテストでいい点を取っても、その場しのぎにすぎません。

貴重な睡眠時間を減らしてまでよい成績をとろうと試みるのは、長期的には無意味です。せっかく勉強した努力をムダにしな

いためには、なるべく睡眠時間を削らなくてすむような計画的な学習プランを立てたいものです。

学習の基本は「覚えられる範囲で覚える。理解できた範囲を確実にモノにする」ことです。あとは、いさぎよく寝ましょう。やるべきことをきちんとやって、残りの仕事は海馬に任せましょう。しっかりと寝て、海馬の活躍に期待する――これが鉄則です。寝るだけですむのだから楽なものです。

体験談6

合否はバイオリズムが決めている？

時間に追われないで静かに勉強できる夜が好きで深夜型の勉強をしていたが、入試は朝から昼にあるので、思い切って朝早く起きて勉強する朝型に変えた。最初は眠かったけど、冷たい水で顔を洗って、水を一杯飲んでから始めるようにした。しばらくすると新しいリズムに体も頭も順応してきて勉強がはかどった。入試の一週間前には、同じ曜日同じ時刻に合わせて試験会場まで行ってみた。入試の当日、極力よけいな神経を使わなくてすむようにした。

人それぞれにバイオリズムというのがあるそうだが、入試に受かる・落ちるは実力よりも案外、その人のバイオリズムがピークに達したときに受けた大学は受かって、どん底のときに受けた大学は落ちるというふうになっているんじゃないか、と思うほどだ。（高三・香川）

著者からのコメント

バイオリズム（生体周期）の存在は科学的に証明されています。スポーツを見ていても分かるでしょう。どんなに優秀な選手でもスランプは必ずあります。調子の善《よ》し悪《あ》しの波です。バイオリズムの波は、おおよそ周期的に繰り返されています。

バイオリズムは一種類ではなく、周期には短長さまざまなものがあります。まばたきや心臓の拍動や呼吸リズムなどの秒レベルのもの、朝起きて夜寝るという日周のリズム、生理周期のような一カ月程度のリズム、秋の食欲といった年レベルのリズム、さらにもっと長い何年という周期の存在も確認されています。そのいくつかについては脳メカニズムが解明されています。

リズムのすべてが絶頂期に重なると、人はふだん思う以上の能力を出すことができます。オリンピック選手などは四年に一回の大会に、自分のさまざまなバイオリズムのピークを合わせるように訓練する人もいます。

もちろん、そのためには自分のバイオリズムをしっかりと把握することが肝心です。勉強にとって特に大切なバイオリズムは、言うまでもなくサーカディアンリズム（日周リズム）でしょう。この波がしっかりと試験の時間帯に合わないと、実力

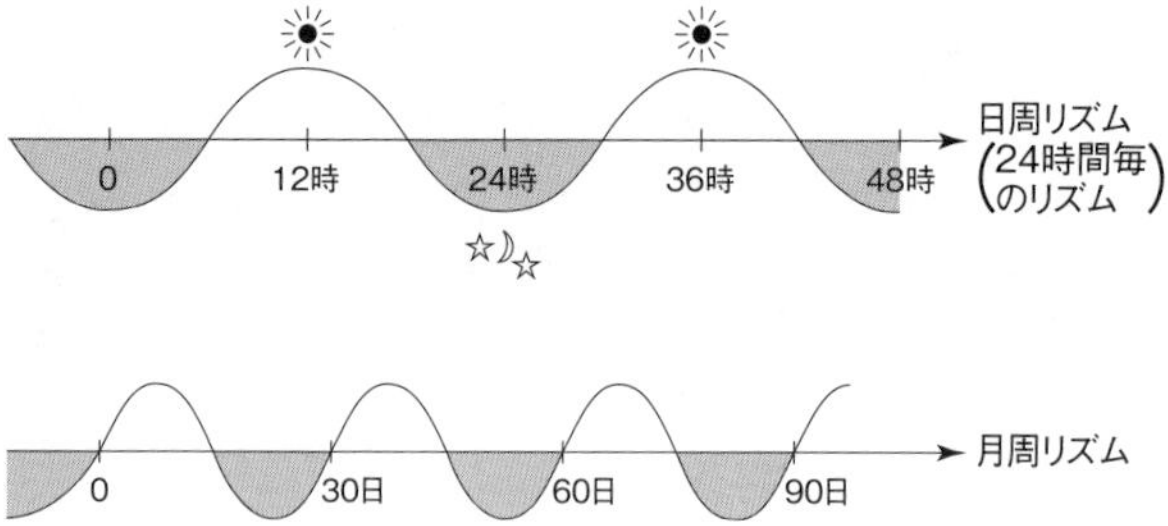

を発揮できないまま試験が終わってしまうという悲劇がおこります。ちなみに、サーカディアンリズムは朝にリセットされますから、リズムがずれていると感じたら、朝の起床後に冷たい水で顔を洗って、太陽や明るい蛍光灯などの光を浴びて、しっかりとリセットしましょう。

また、「入試の一週間前には、同じ曜日、同じ時刻に合わせて試験会場まで行ってみた」というのは、バイオリズムとは関係ありませんが、脳の予測機能を利用したおもしろいテクニックだと思います。このような予行演習をすることで、脳は無意識に予定行動を設定しますので、試験当日にテスト以外の要因で受ける精神的なストレスを減らすことができるでしょう。

4-2　夢は学力を養う

寝ること、とくに夢を見ることの大切さを説明しましたが、夢が脳におよぼす作用はまだほかにもあります。

たとえば、学習したものが、少し時間が経つと、より理解が深まるという不思議な経験をしたことはありませんか。それまで勉強してもさっぱり分からなかったことが、ある日突然、目から鱗《うろこ》が落ちたようによく理解できたという経験。あるいは、ピアノのレッスンで、どんなに練習してもうまく弾けるようにならない部分がありフテ寝してしまったけれど、翌朝、ピアノに向かったらすらすら弾けたという経験などです。

こうした不思議な現象は「レミニセンス（reminiscence）」と呼ばれています。じつはこれも、寝ている間に記憶がきちんと整理整頓された現象です。夢を見ると、記憶は成長するというわけです。寝かせて熟成するのですから、まるでワインのようです。

逆に言えば、学習した内容がレミニセンス効果によって十分な効果を発揮するためには、ある程度の時間が必要であることになります。直前に覚えた知識よりも、数日たった知識の方が整理されていて、脳にとっては利用しやすい記憶になっています。

もちろん、レミニセンスを期待して寝てばかりいる怠け者になってはダメですが、日々の勉強を効果的にするために睡眠をはさむことはとても大切です。

脳心理学コラム７

レム睡眠

寝ている間ですから、あまり意識していないかも知れませんが、睡眠にはリズムがあります。「浅い眠り」と「深い眠り」が周期的に交互に繰り返されているのです。だいたい九十分くらいの周期です。浅い眠りの時には、本人は眠っているにもかかわらず目をキョロキョロさせています。これは「レム睡眠」という睡眠状態です。眼球が動いているのは、夢を見ているからだと考える研究者もいます。

浅い眠りと深い眠りは、寝ている間に何度か（ふつう四〜六回ほど）繰り返されて、十分な睡眠時間に達したら、浅い眠りの期間が終わったときに、自然と目覚めます。ところが、目覚まし時計で深い眠りのときに強制的に起こされると、寝起きが悪く、頭がボーッとします。しかも、朦朧《もうろう》とした意識が一日中続いてしまいかねないから大変です。これがテストの日だったら一大事です。

すっきりとした頭脳で一日を過ごすためにも、適切な瞬間に目覚めるように心

睡眠時間6時間の場合

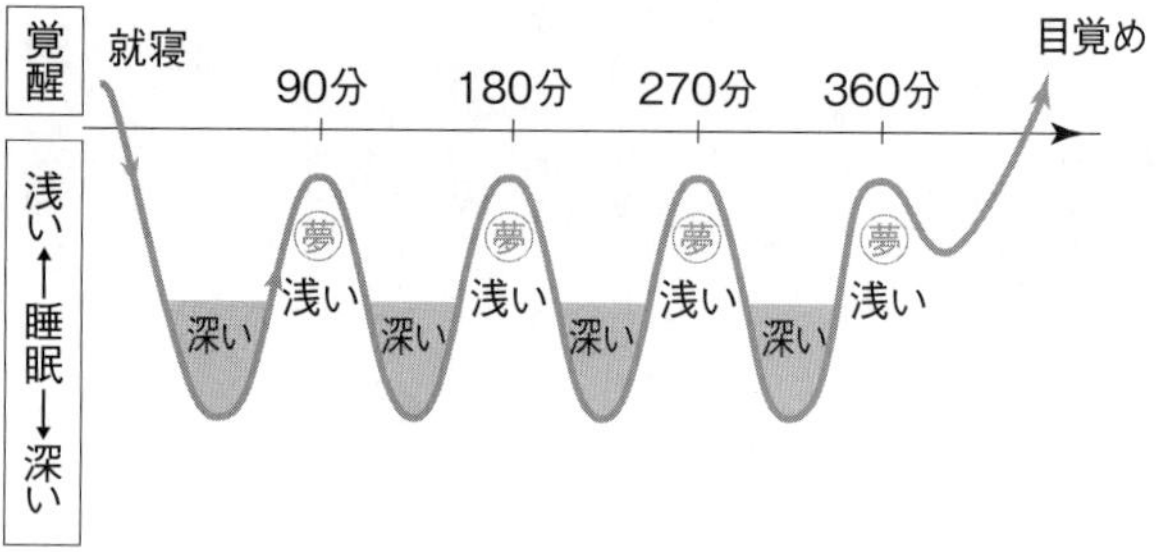

がけておくことが無難です。睡眠の周期は人によって異なりますので、自分のリズムを把握しておくことが大切です。そして、ふだんから、同じ時間に寝て、同じ時間に起床できるように、一日のリズムを作っておきましょう。

最近では、寝返りのタイミングなどから睡眠の周期を測定して、起きるべき時間にベルを鳴らしてくれる目覚まし時計もありますので、活用してみるのもよいでしょう。手軽なところではiPhoneのアプリ「Sleep Cycle alarm clock」(Maciek Drejak Labs社)などがあります。

4-3　睡眠と記憶の不思議な関係

シータ波は記憶によいという話をしました。ＬＴＰの発生を助けてくれるからです。おもしろいことに、昼間に出るシータ波は必ずしも強いものではありません。シータ波がもっとも強く出る時間帯は、じつは、夜寝ているときです。とりわけ浅い睡眠の時間帯なのです。

睡眠と記憶の関係については、次のような実験があります[13]。語学の勉強をしたあとにテストを行い、勉強前に比べて、どれだけ点数が上がるかを調べた実験です。勉強をすれば、もちろん、点数が上がります。これ自体は当たり前のことです。しかし、勉強のあとで、いつものように睡眠を取ってもらい、翌朝にもう一度テストを行ってみます。すると、翌朝のほうが、前日の勉強直後よりも、さらに成績が上昇していることが分かりました。

勉強すれば、その分の知識が増えるので、点数が上がるのは当然なのですが、しかし、睡眠によって点数が上昇するとは、一体どういうことでしょうか。ただ寝ている

睡眠によって記憶が整理される

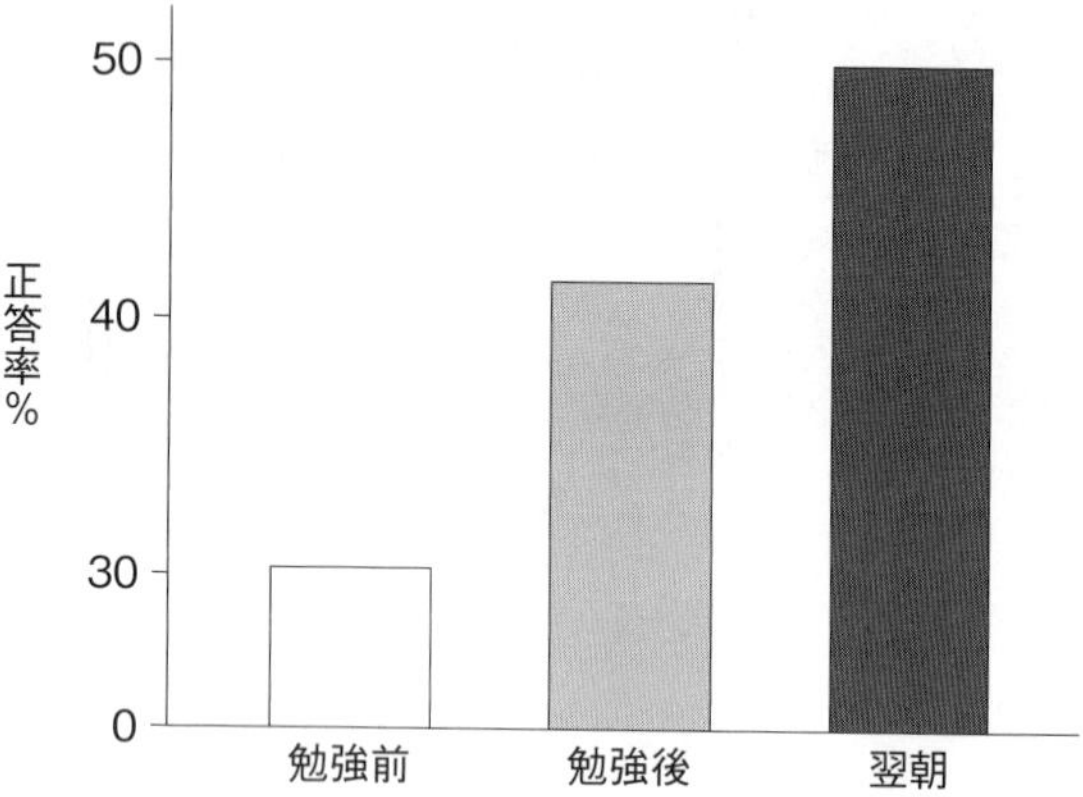

だけですから、知識の総量は増えていないはずです。それにもかかわらず成績が上がるのです。

おそらく知識は、ただ脳に詰め込んだだけでは、使いものにならないのでしょう。知識が乱雑に蓄えられてしまっていて、すぐに使用できる状態になっていないのです。これでは、どんなに立派な知識でも、宝の持ち腐れとなってしまいます。

蓄えた知識を整理整頓して「使える」状態に変えることが、睡眠の役割の一つです。寝ることによって、知識の量が増えるわけではありませんが、知識の質が変わるのです。情報として有効に使える形に変換されるために、翌朝のテストのほうが、点数が高くなるという不思議な現象が生じるわけです。

記憶だけではありません。「ひらめき」も睡眠が助けてくれることが分かっています。[14] 問題に目を通してから睡眠すると、翌朝にひらめく確率が高いのです。ですから、寝る前に問題に目を通しておくことも重要です。

ちなみに寝ることで記憶が定着する効果は、夜の睡眠でなくても、昼寝でも現れます。[15] 時間に余裕があるときには、昼に勉強をした後、三十分くらいの昼寝をしてみるのもよいでしょう。

睡眠の重要性を知っていると、逆に、テスト前に緊張して眠れないときに「どうしよう。このままでは記憶が定着できない」と、プレッシャーに感じる人もいるかもしれません。安心してください。睡眠の効果は、じつは「眠る」こと自体が重要なのではなくて、脳への情報を絶って、脳に整理整頓の時間を与えることなのです。実際、起きていても、静かにさえしていれば、海馬で情報の再生が始まります。[16]

ですから、静かな部屋で眼を閉じているだけで、睡眠と同じ効果があるのです。[17] 不眠症の方の多くは、眠れないことに苦痛を感じて、焦《あせ》ったり不安になったりするようです。眠れないことに耐えられないあまり、テレビをつけたり、読書をしたりして、気を紛らわす人もいます。それではダメです。脳に情報を入れては、睡眠とは異なった時間となってしまいます。

眠れなくても、テレビや読書はやめて、明かりも音楽も消して、布団《ふとん》の中で夜が明けるのを待ちましょう。眠れなくても気にせず、脳をそっと一人にしてあげてください。それだけでよいのです。不眠症の方のなかには、「眠らなくてもよいのだ」と知ることで、精神的な負担が減って、自然と寝入ることができる人もいるようです。

ちなみに、眠っている最中に学習用の音声を流しながら勉強する、いわゆる「睡眠学習」は通常は効果がありません。睡眠中の脳の邪魔はしないほうがよいでしょう。

脳心理学コラム8

リフレッシュと集中力

「同じ姿勢で根《こん》つめて勉強をしていると、頭がぼーっとして集中力がなくなってくる」と相談を受けたことがあります。そんなときは、軽く体を動かしてリフレッシュしてみてはいかがでしょうか。そのほか、音楽を数分ほど聴くのもよいでしょう。

私が実践している「集中力」の高め方を紹介しましょう。名付けて「タマゴ法」です。はじめは三分くらいかかるかもしれませんが、慣れれば三十秒もあればできるようになります。

まず、目を閉じてください。そして、とがった三角帽子をかぶっていることを想像してください。さらに、手のひらにゆでタマゴが乗っていることを想像してください。そのタマゴを軽く放りなげて、反対の手でキャッチします。それをまた放り投げて、元の手でキャッチします。これを数回繰り返したら、利き手でタマゴを三角帽子の頂点にそっと立ててみてください。バランスをとって落とさないように。うまく乗りましたか。そしたら、タマゴを意識しながら、そっと目を開けてください。すると集中力は目前の勉強机に向かっているはずです。慣れたら、お手玉はせずに、いきなりタマゴを帽子に乗せても集中できるようになります。

ところで、「ガンバレ」「ナイス」など気分が上向きになる言葉が目に入ると、たとえはっきりとは意識にあがらなくても、実際に気合いが入ることが知られています。[18]「必勝合格」「めざせ○○大学」などの目標を勉強机の前に貼《は》っておくとよいことがあるかもしれません。

4−4　勉強は毎日コツコツと

　ここで、睡眠の効果を考慮に入れた勉強法を二つ考えてみましょう。

　まず、一夜漬けが効果的かどうかを考えてみたいと思います。皆さんの多くが、一夜漬けでテストに臨んだ経験があるかと思います。

　ちなみに、専門用語では「一夜漬け」とは呼びません。記憶の研究界では「集中学習」と呼びます。一気にまとめて勉強することから「集中」という言葉が使われています。逆に、毎日コツコツ勉強することを「分散学習」と呼びます。「分散」とは、注意力が散漫で集中していないという意味ではなく、勉強の時間を区切って少しずつ分散して行うことからつけられた名前です。

　集中学習と分散学習。さて、どちらが記憶法に効率がよいでしょうか。

　次のような実験が行われました[19]。分散学習タイプと集中学習タイプの二つのグループに分かれて、単語の組み合わせを覚えてもらいます。総学習時間はどちらも同じなのですが、集中学習ではテスト前日に一気に詰め込み勉強をしたのに対し、分散学習

じっくりと覚えたものは忘れにくい

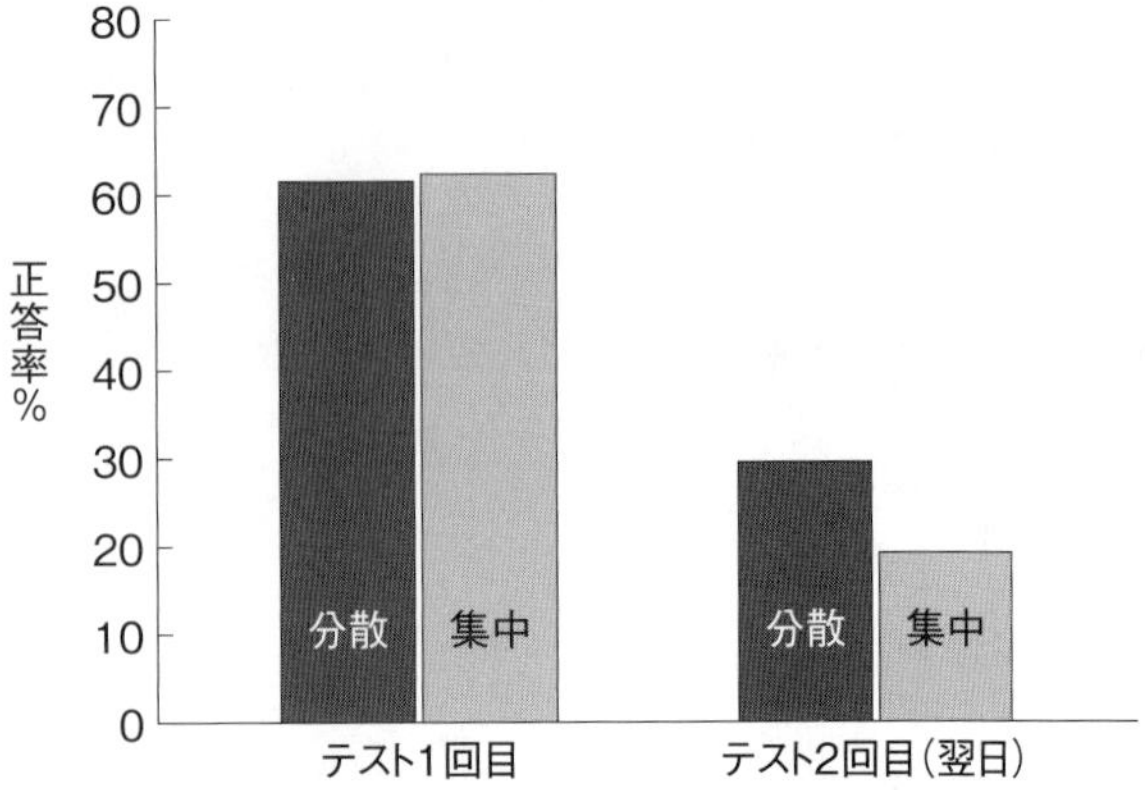

では前日と、さらに前日の二日に分けて勉強しました。さて、両者の点数はどうだったでしょうか。

驚いたことに、どちらのタイプでもテストの点数はほぼ変わらなかったのです。つまり、テストの「成績」という観点では、どちらの戦略でもよかったのです。

ところが、次の日にもう一回テストを行ってみます。抜き打ちテストです。すると、点数に差が現れます。

翌日のテストは予告なしに行いますから、テストへの準備がなされていません。ですから、両者とも点数は低下します。しかし、下がり方が違いました。分散学習のほうが忘れるスピードが遅かったのです。一気に蓄える集中学習法では、忘れるのも一気に生じるのです。

分散学習では、勉強と勉強の間に、夜の睡眠が挟《はさ》まるため、その都度、記憶が定着するからだと考えられています。

ところで、一日目の本試験の結果に差がなかったという事実には、注意が必要です。なぜなら一夜漬けタイプの人は「自分は要領がいいなあ。だって直前の駆け込み勉強だけで、毎日マジメに勉強している人と同じ点数が取れるのだから」と慢心しがちです。表面的には同じ成績だったかもしれませんが、長期的な「実力」という点でいえば、毎日コツコツと勉強する分散学習タイプがやはり有利なのです。

脳心理学コラム9

バイオリズム

勉強をいつごろやっていますか。朝ですか、昼ですか、それとも夜ですか。

ヒトの体にはリズムがあって、それぞれ決まった時間に細胞は活動をします。一日ごとの生活リズムは「サーカディアンリズム（日周リズム）」と呼ばれ、これは脳の「視交差上核」でコントロールされています。

もちろん、朝型人間・夜型人間など、人それぞれに言い分はあるでしょうが、テストは昼に行われることを忘れてはいけません。真夜中に勉強するのが習慣となっている人は、テストのたびに昼型に変えなければなりません。ちょうど海外旅行の「時差ボケ」のようなものです。

じつは、時差ボケになると、海馬の細胞が少しずつ死んで、記憶力が低下してしまいます。[20] これをうけて、いくつかの航空会社では国際線の乗務員のスケジュールの大幅な改変を推進しています。テストのことを考えたら、できれば昼間に勉強したいところです。

これは週末の過ごし方にも関係します。たとえば、休みの日だからといって、朝遅くまで寝ている人がいます。これでは、みずから時差ボケを作って、脳をいじめていることと同じです。休日も平日と同じ時間に起きるべきでしょう。どうしても眠ければ、二度寝するのでなく、昼寝すればよいのです。

ところでバイオリズムには、一日単位だけではなく、一週間単位、月単位、年単位などさまざまなものがあります。一週間単位のリズムで言えば、学習効率が高まるのは金曜日と土曜日であると報告されています。「金曜日効果」とよばれる現象です。理由はまだ科学的にはきちんと解明されていませんが、週末は遊ばずに勉強するのが吉かもしれません。

4－5　寝る前は記憶のゴールデンアワー

睡眠の効果を得るための勉強法の二つ目は、勉強の時間帯についてです。記憶するのなら、朝型と夜型のどちらがよいでしょうか。

朝に訓練をしたグループと、夜に訓練をしたグループで、その後どのように記憶が失われていくのかという「忘却スピード」が比較されました。[21] ⑴覚えた直後、⑵十二時間後、⑶二十四時間後、の三回にわたってテストを行ったのです。

朝に覚えたグループでは、十二時間後の夜に行ったテストの成績は、ずいぶんと低下しています。昼間にいろいろなことを経験するでしょうから、朝の記憶の鮮度があせても不思議ではありません。しかし、夜、睡眠を取れば、点数は多少回復します。ただしその効果は十分ではありません。

ところが、夜に覚えたグループでは、学習の直後に睡眠します。ですから、点数アップの効果がてきめんに現れます。朝型では決して到達できない点数まで達します。つまり、覚えたら忘れないうちに寝る、これが鉄則なのです。ですから、暗記に関

寝る前に覚えたことはよく定着する

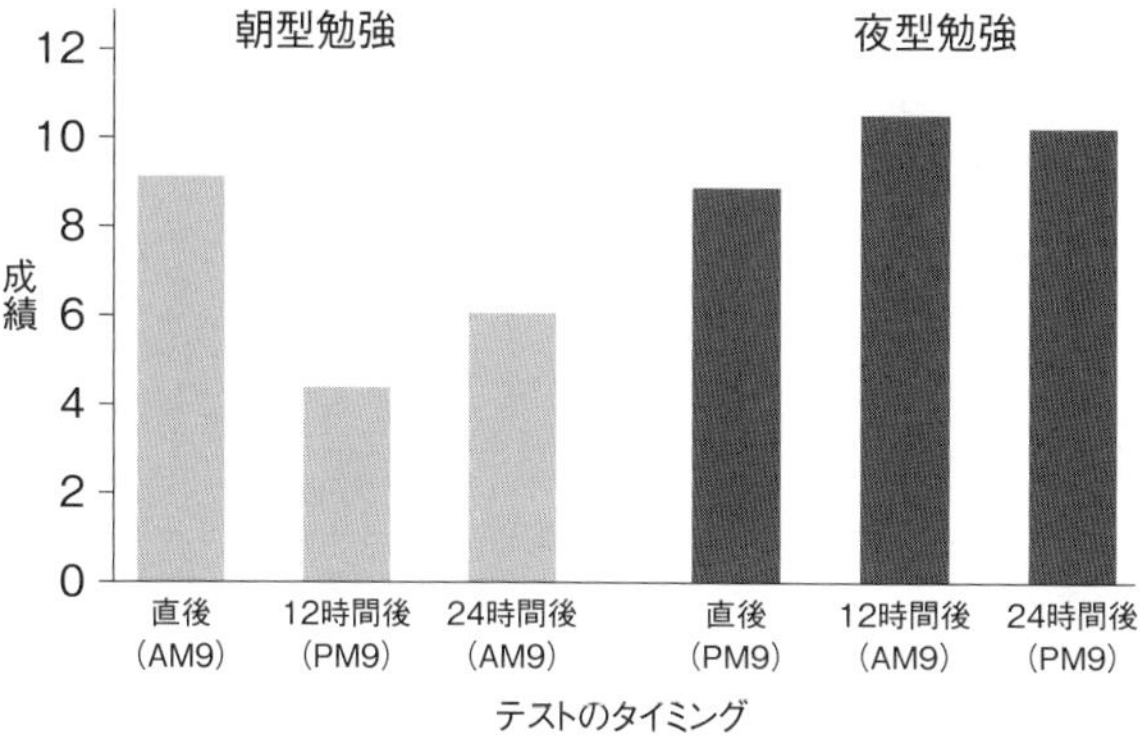

していえば、朝型よりも夜型が効果的です。

ただし、「夜型」は「夜更《よふ》かし」とは意味が違いますから、気をつけてください。夜型といっても、いつも通りの時間に寝ることが肝心です。あくまでも、就寝前に勉強しましょうということです。

就寝時間の一〜二時間前は、脳にとっては記憶のゴールデンアワーです。私自身も、夜寝る前には必ず仕事をする習慣をつけています。

4-6　一日の効果的な使い方案

これまでに述べてきた、睡眠の効果やライオン法を踏まえて、私なりに考えている一日の勉強スケジュールを図にしてみました。

これまでの復習をかねて、簡単に説明します。

1. 食事の直前は空腹ですから、勉強タイムです
2. 就寝前も勉強タイムです
3. 昼食後や夕食後は満腹になりますから勉強をしなくてもよいでしょう。読書やテレビやゲームなどの趣味にあてたほうが豊かな生活が送れるかもしれません
4. 午後の時間帯にどうしても眠くなるのでしたら、遠慮なく昼寝をしましょう
5. もし昼寝をするのであれば、その直前の時間帯も勉強タイムです

一日のスケジュール案

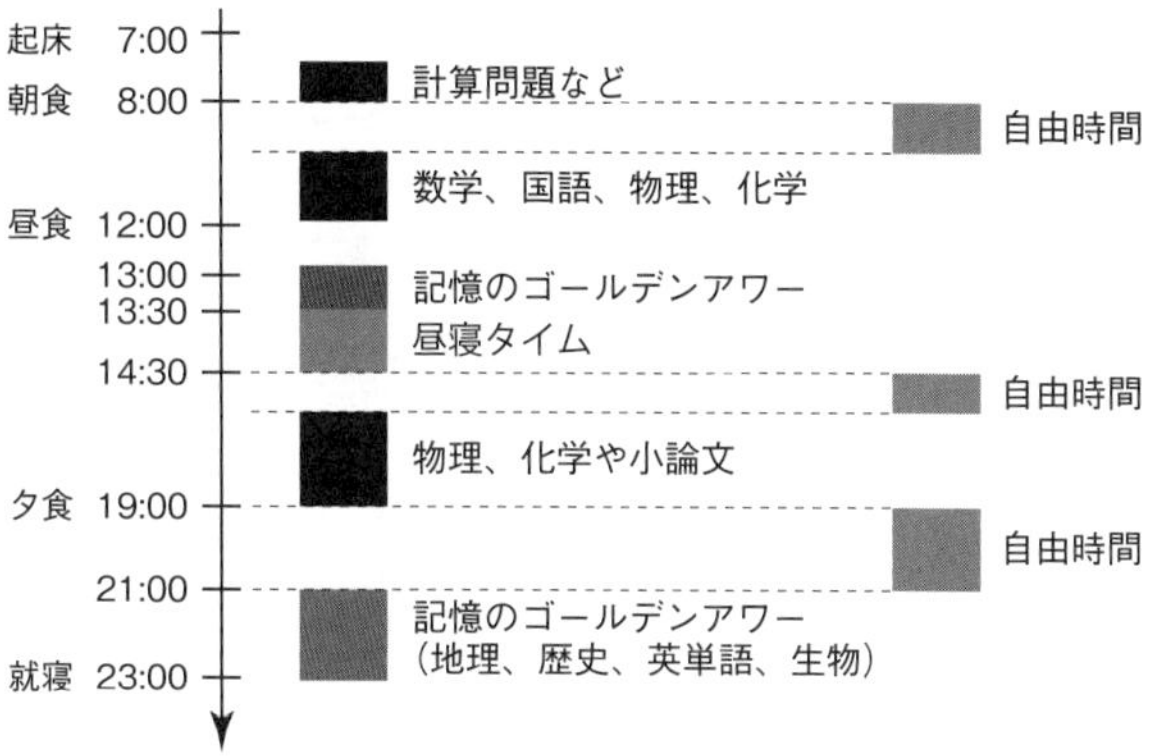

勉強すべき科目についても考えてみました。睡眠前は、とくに記憶を要する科目に有効な時間帯です。ですから、社会や生物、あるいは英単語などがおすすめです。午前中はもっとも睡魔から解放される時間です。こうした時間帯は、論理力や思考力が要求される科目、たとえば数学や国語、物理、化学などがよいでしょう。また起床直後の時間帯は暗記には向きませんので、計算や一般的な復習をしてみてはいかがでしょう。

一日にどのくらい寝ればよいのかを気にする人もいるかもしれません。睡眠時間は個人差が大きく、一概には答えられません。六時間～七時間半くらいが平均的ですが、三時間の睡眠で平気な人もいますし、十時間くらい寝なければという人もいます。こうした個人差はどうやら遺伝するようですので、努力ではなかなか変られないかもしれません。

私の個人的な印象でいえば、多くの人は「寝ることはよいことだ」「できれば長く寝たい」という願望を日常から持っているように思います。ですから、理想の睡眠時間をたずねると、長めの時間を答える傾向があります。

その気持ちはよく理解できますが、睡眠への甘い誘惑を排除して、自分にとって本当にどのくらいの睡眠時間が必要なのかを、正しく見極めておくことも、効果的な勉強スケジュールを組むためには大切なことです。かくいう私も学生時代は八〜十時間くらい寝ないと頭が働かないと強く信じていました。ところが、あるときに試してみたら、五時間ほどで大丈夫なことを知りました。

第5章

ファジーな脳

学習する犬（ビーグル犬）

5－1 記憶の本質

この章では、動物の脳がもっている基本的な性質を学び、それを通じて最適な学習方法を考えてみましょう。

ダーウィンが唱えた「進化論」を知っているでしょうか。ヒトは聖書に書かれているように神が創《つく》ったものではなくて、原始的な動物から少しずつ進化して、高度な動物に成長したという学説です。ダーウィンによれば、微生物も昆虫もヒトもすべての生き物は、同じ起源をもっていることになります。

「脳」においても、これは当てはまります。脳は、はじめは虫のような小さな動物の中で生まれ、しだいに複雑な機能が付け足され、そしてサイズも大きくなって、最終的にヒトの脳が完成したのです。ヒトの脳も起源をたどれば、より原始的な動物の脳にその原型があると言えます。つまり、ヒトの脳の「本質」は動物の脳の中にあるのです。

さて、ここからが重要です。動物や虫の脳は、ヒトの脳よりも単純です。つまり、動物たちの脳では、生命に重要な部分が、脳機能の大半を占めているわけです。だから、動物の脳の性質をしっかり観察すれば、ヒトではうまく観察できない「脳の本質」が見えてくることになります。

逆にヒトの脳では、生命維持の目的とは直接関係のない高度な能力、いわば「飾り」の部分が多く備わっているので、脳の本質が隠れがちです。ヒトの脳を眺めているだけでは、実態は理解できないのです。そこで研究者は、研究材料としてヒト以外の動物をよく使います。ナメクジのような虫から、サルのようなヒトに近い動物までさまざまですが、ここではイヌを使った実験を紹介しましょう。イヌの学習をみていると、脳の意外な側面が見えてきます。

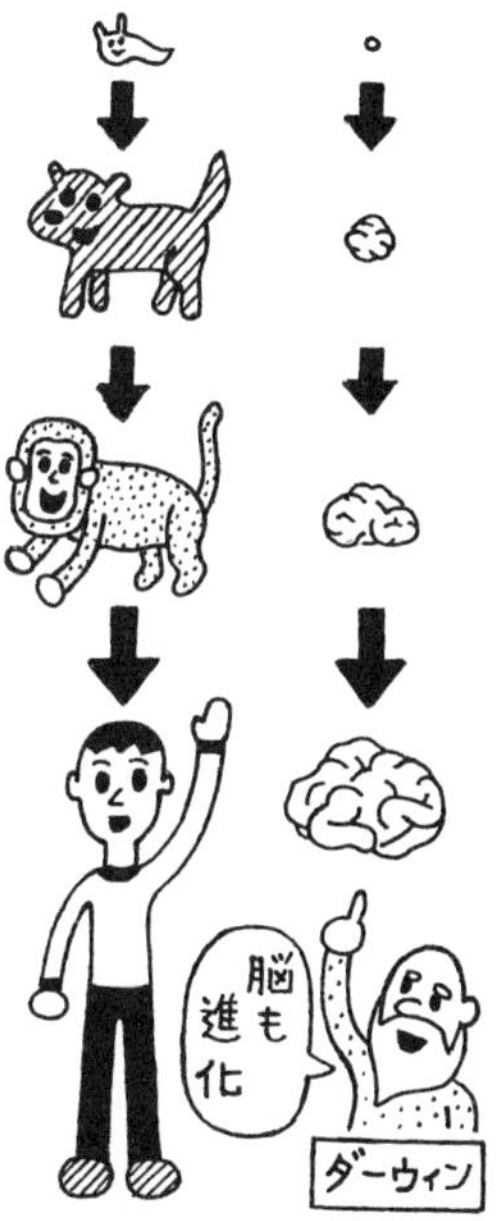

脳心理学コラム10

外発的動機

アシカやサルなどの動物に芸を覚えさせるときには、しばしば「エサ」という報酬を使います。ご褒美のことを心理学では「外発的動機」と言います。

外発的動機は、学校の勉強においてもよく利用されているようです。「苦手な数学で80点とったら、好きなものを買ってあげる」と親に言われてガンバっている人もいるでしょうし、「テストが終わったら遊園地に行こう」と自分を鼓舞する学生もいるでしょう。

こういう方法は「動機が不純でよくない」ととがめる人がいるようですが、外発的動機を利用する方法は、心理学的には有効な手段であることが広く認知されています。実際に、外発的動機がないと、学習能力がひどく落ちてしまうことが確認されていますし、動物ではまったく学習できなくなってしまうことがふつうです。

ところで、外発的動機のご褒美は、物やお金など、目に見えるものである必要はありません。何かをやり遂げたという「達成感」もまた外発的動機となります。たとえば、目標を達成したときに感じる喜びは十分な報酬に値します。

ですから、勉強においては必ず学習目標を設定すべきでしょう。「目標は高い方がよい」とよく言われますが、これでは達成して報酬を得る回数が減るばかりか、達成できずにむしろ挫折感ばかり感じてしまうことになりかねません。大きな最終目標以外にも、小さな目標、つまり達成可能な目標を並行して掲げていくことが大切です。

私は毎日、小刻みな目標を、達成できるような低いレベルで設定して勉学に励んでいます。毎日のささやかな報酬があればこそ、あきらめずに最終目標に向かって進んで行くこともできるのです。

5-2 失敗にめげない前向きな姿勢が大切

イヌを飼ったことがある人なら知っていると思いますが、この動物はなかなか利口で、複雑なことを学習することができます。

ただし、イヌにものを覚えさせるには何か報酬が必要です。エサをあげるとか、散歩に連れて行くとか、撫《な》でてあげるといった、イヌが喜ぶような報酬です。ここでは、エサをご褒美にして、ひとつ課題を出してみましょう。

図に描いてあるようなテレビの画面をイヌに見せます。この画面の脇《わき》にはボタンが付いています。この装置は、画面に「丸い図形」が点灯した時にボタンを押すと、ご馳走《ちそう》がもらえるような仕組みになっているのです。ヒトにとってはとても簡単な装置ですが、イヌにはちょっと難しい課題です。なぜなら、エサのありつき方を「言葉」で説明してやることができないからです。だからこそ、逆に、脳の「学習」の本質が見えてくるわけです。

さて、実験に使われたこのイヌは、どうやってご褒美にありつくのでしょうか。イヌが学習していく過程を観察することで、おもしろい記憶の秘密が分かってきました。

イヌの世界は、ヒトのような高度な文明が発達しているわけではありません。もちろん、テレビ画面は生まれてはじめて見る機械です。目の前のボタンにどんな意味があるのかも知りません。いや、ボタンはそもそも押すものであることさえも知らないのです。しかもモニターには、突然に丸い図形が点灯します。まさに、戸惑うばかりです。

そんなあるとき、偶然にボタンが押されておいしいエサが出て来ます。単なる偶然です。しかしこの偶然が何回か続けば、イヌは「ボタンを押すこと」と「エサをもらえること」に関係があることに気づきます。ここまでが学習の初めのステップです。

つまり、学習とは「ものごとの関連性を習得すること」だと言えます。今まで独立していた事象が、頭の中でつながることが学習の正体なのです。この課題ではボタン

とエサの関係ですが、たとえば、英単語の暗記でも同じことです。「go」＝「行く」というように、英語と日本語の結びつけを行うことこそが、「学習」なのです。

さて、学習の最初のステップをクリアーしたイヌは、次にどんな行動をとるでしょうか。

ボタンとエサの関連に気づくと、イヌはエサほしさにボタンを何度もひたすら押すようになります。しかし、ボタンを押したからといって、いつでもエサがもらえるわけではありません。なぜならこの装置では、画面に図形が点灯していないときには、ボタンを押してもエサが出て来ない仕組みになっているからです。イヌは何度か失敗を繰り返すうちに、ある時、この事実に気づきます。

そして、ついに画面点灯とボタンの関係を理解して、イヌはこの学習課題をこなせるようになります。覚えるまでに何十回、何百回という試行錯誤を繰り返します。あでもない、こうでもない、とさまざまな失敗をして、その結果、画面点灯とボタンの関係に気づくのです。いきなり成功することは絶対にありません。失敗した原因への疑問とその解決策を考えながら、答えを導くのです。

つまり、ひとつの成功を導き出すためには、それだけ多くの失敗が必要なのです。数多くの失敗がなければ正しい記憶はできません。「失敗しない人は常に何事もなしえない」（フェルプス）との言葉通り、記憶とは「失敗」と「繰り返し」によって形成され、強化されるものなのです。

皆さんの勉強に関してもまったく同じことが言えます。繰り返すこと、つまり「復習」が大切であることはすでに述べましたが、それと同時に「失敗」することもまた重要なのです。問題を解き間違えたり、ケアレスミスをしたり、テストで悪い点数を取ったりすることです。

失敗したら、そのたびに次の手を考えて、そしてまた失敗して、また解決策を考えて……といった具合です。失敗数が多ければ多いほど記憶は正確で確実なものになっていきます。偶然が重なって、たまたまテストでよい点数をとったとしても、あなたにとって何の得にもなりません。

ですから、もしテストで悪い点数をとってしまったとしても、クヨクヨする必要はありません。損したというよりも、むしろ得したと思い直すことです。失敗したら、なぜ失敗したのかに疑問をもってその原因を解明し、その解決策を考えることが肝心です。イヌたちも失敗してもクヨクヨせず、いつも次の手段を考えています。その姿勢こそがより早く正解にたどりつく秘訣《ひけつ》です。

そうです。何度も失敗して、そのたびに解決策を立てる。消去法で自己修正してゆく、のが脳の姿なのです。だから「反省を活かすこと」と「楽天性」の両方を併せ持つことが勉強には重要なのです。

いつも自分を磨いておけ。あなたは世界を見るための窓なのだ。

ショー（劇作家）

脳心理学コラム11

特恵効果

食事のとき、好きな物を先に食べますか、それとも最後に食べますか。

教育心理学の言葉に「特恵効果」というのがあります。「特恵」とは変わった用語ですが、意味していることは簡単です。「得意な面を活かして学習する」ことです。苦手な分野をクヨクヨと悩むよりも、得意とする部分を素直に活かす方が、全体として成績の伸びが上昇します。勉強で言えば、どうしてもできない部分には目をつむってしまうことも得策の一つです。

特恵効果は、長期的な勉学だけでなく、テスト中などの短い時間にも応用できます。つまり、テストの本番では、得意な問題を確実にモノにするために、得意な問題に最初に手をつけるべきでしょう。得意な問題を解いていくうちに自信がつき、やる気や集中力が高まるのは、ごく自然なことです。

おいしい物を最後に残すのは食事のときだけにしましょう。

ちなみに、大学受験では、大学側が理数系の優秀な学生を募集したいとき、たとえば「数学と理科を１５０点満点で、国語と社会は75点満点として換算して合否を決めます」と科目ごとの重みを変更している学部があります。実際、こういう学部では、理数科目に自信のある人が受験を試みます。つまり、受験生はみな、理数科目でよい点数をとりますので、主要科目ではあまり差がつかないのです。結局、大学側のもくろみとは逆に、社会と国語の得点が合否の決定打になってしまうことが少なくないと聞きます。国語が得意な理学部受験、数学が得意な経済学部受験。一見矛盾するようですが、受験現場では実際そんな現象が生じています。

自分にとっての得意科目だけでなく、それが自分の希望校における受験に占める意味もきちんと考えながら、作戦を立てることも必要なのかもしれません。

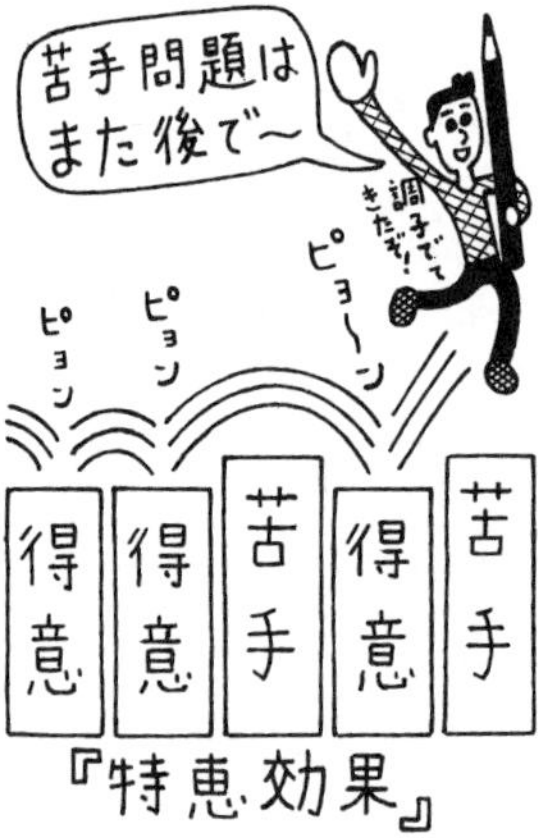

5-3 コンピュータと脳の違いとは

第1章で説明したように、脳もコンピュータも情報を「保存（記憶）」することができます。RAMやハードディスクなど、いくつかの共通点もありました。

しかし、イヌの実験を通して皆さんが知ることができた脳の性質は、コンピュータとはずいぶん異なるようです。なぜなら皆さんもよく知っているように、コンピュータは一回の記憶で完全に学習できます。コンピュータで書いた文章やグラフィック、ゲームのデータなどは、一回のセーブできちんと保存できます。しかも間違えたりしません。

先ほどイヌに出した課題くらい、コンピュータならば楽にこなせます。たとえば、ロボットに内蔵されたコンピュータのプログラムに「画面に丸い図形が点灯したらボタンを押しなさい」と指令すれば、イヌのように何度も試行錯誤することなく、すぐに任務を果たします。ミスはしません。たった一回の学習で正解を完璧《かんぺき》に覚えることができます。

ちょっと専門的になりますが、脳の神経回路とコンピュータの電気回路の違いをはっきりさせておかなければなりません。

すでに述べたように、コンピュータはすべての情報を0と1のデジタル信号に置き換えて処理します。そして、片っ端から何でもかんでも保存することができます。言われた通りにきちんと保存するので、白か黒か、○か×か、けっして間違うことはありません。

ところがヒトの脳は忘れっぽいばかりか、判断が曖昧《あいまい》で、答えをしょっちゅう間違えてしまいます。どうも、脳とコンピュータは情報処理の仕方が異なるようです。そのしくみを説明してゆきたいと思います。

脳の神経回路の中を流れるのは、コンピュータと同じ電気信号です。ただし、コンピュータの信号は電子の流れであるのに対して、神経の信号はイオン（ナトリウムイオン）です。しかし、どちらもデジタル信号なので、発信元の情報が伝播《でんぱ》途中で変化が生じない点では同じです。

しかし、ここから先が違います。ヒトの神経細胞どうしは神経線維で回路を作っていますが、個々の線維は物理的には接していません。神経回路は、電気回路のように

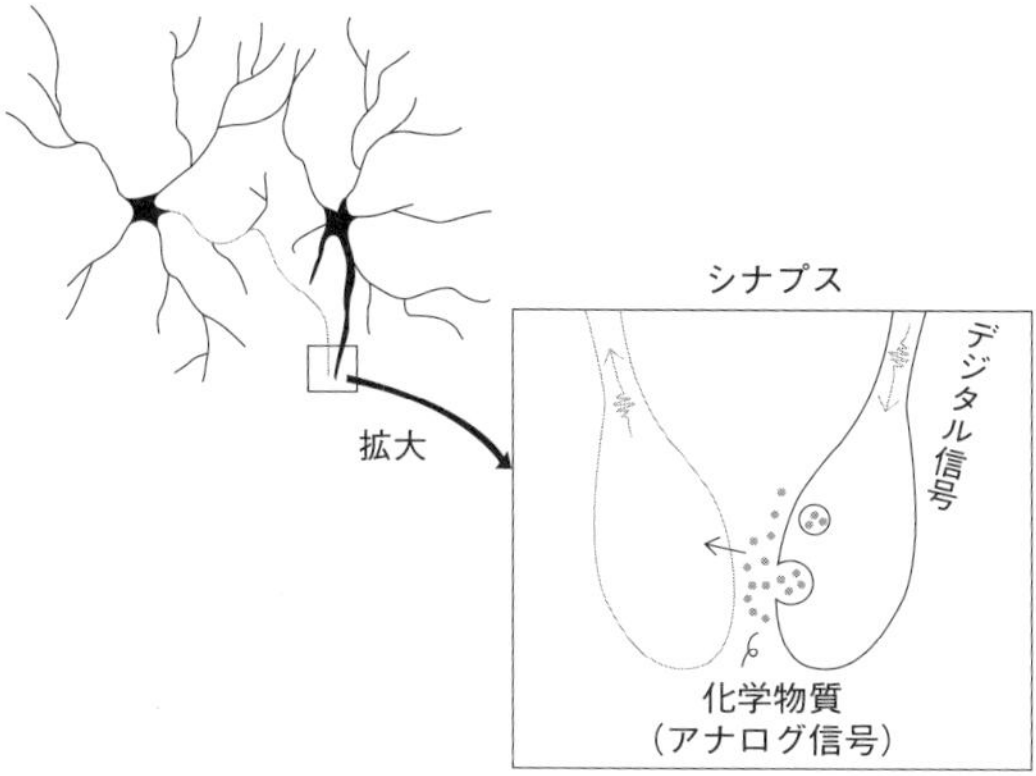

化学物質の量で信号の強弱が決まる！

回路全体がつながっている連続体ではなくて、線維と線維の間には、わずかながらすき間があります。

ですから線維を伝わってきた電気は、その継ぎ目で次の神経細胞へ乗り換えをしなければなりません。たとえば、札幌から博多まで電車で行こうとするとき、直通の電車がないから途中の駅で乗り継ぎをしなければならないというようなものです。

この乗り換え駅を「シナプス」とよびます。シナプスの間隔は髪の毛の五〇〇〇分の一ほどの狭さですが、離れているので電気が通らないのです。

このすき間は、アセチルコリンとかグルタミン酸といった化学物質によって、電気信号が置き換えられて、情報がバトンタッチされています。その際、もし電気信号が弱いと、化学物質が少ししか放出されないといった「翻訳」がなされています。つまり、シナプスはデジタル信号ではなくて、アナログ信号になっているのです。

コンピュータのように、すべて0か1かのデジタル信号で何でも機械的に忠実に信号を伝える方がよいはずなのに、幸か不幸か神経シナプスではアナログ信号が使われているのです。

じつは、これこそが、脳がコンピュータとは違って、信号を伝える強さを微妙に調整できる原理となっています。受け取ったバトンをリレー選手のように、そのまま単純に次に受け渡すのではなくて、送る情報量を自由に選択できるのです。それが「考える」ことの源泉です。

一方で、アナログ信号を使うことは、情報が変わりうることを意味しています。つまり曖昧になってしまうのです。

このような性質をもっている脳では、正解を導くために試行錯誤が必要になります。失敗をして、その原因を考えつつ、次の作戦を考え、そしてまた失敗をして……という具合です。

もう、分かったでしょう。脳の記憶は、アナログ信号を基盤にしているために、一回で覚え切ることより、むしろ「消去法」を得意とするのです。デジタル信号のように無味乾燥に情報を機械的に保管するのではなく、あれはダメ、これも違うと、どんどん間違いを消していって、正解を残すという方法です。野生の世界ではなにが待ち構えているか予測できません。なにが正解かわからない動物たちの生活では、アナログ的な消去法が理にかなっていたにちがいありません。

ヒトの学習にとっても同じです。勉強に必要な要素は、

1. 失敗に負けない根気
2. 解決する能力
3. 楽天的な性格

です。ここまで読んで、再び落胆した皆さんもいるかもしれません。「なんだよ、結局はそれかよ」と。残念ながら、その通りなのです。

しかし、がっかりするのはまだ早いようです。イヌの学習を早くする方法があるのです。それこそが効率的な学習方法の秘訣になります。

体験談 7

「おもしろい！」と思える瞬間

どんなことも「おもしろい！」と思えるまでには、一定の時間と努力が必要なのではないだろうか。僕たちが今、高校で受けている授業は、ほとんど自分から「おもしろい！」と思って始めた勉強ではない。

考えてみれば、「学校が履修科目にしているから」か「大学入試の受験科目になっているから」ということで、まったくの受け身で勉強している。定期試験が終わったらどんどん忘却のかなたに消えていくような勉強なんてどれだけ意味があるのだろう。実業高校や専門学校で好きなことだけ徹底してやっている人の方が得をしているような気がしてならない。

一年間受けて、一度も「おもしろい！」と思えなかったとしたら、三年後にはほとんど、十年後にはすべて忘れてしまっているだろう。とすれば、一年間に費やした「50分×4時限×35週」はムダな時間になってしまうのか。

そう思うとやるせないので、「おもしろい！」と思えるまでトコトン突っ込んでみることにした。「おもしろい！」の瞬間にこのオセロゲームは大逆転するからだ。

（高二・愛媛）

著者からのコメント

すばらしいことです。アメリカの大統領だったリンカーンも「こうして人間に生まれてきたんだから、やはり何か生きがいが感じられるまで生きている義務がある」と力強く語っています。せっかく同じ時間をかけて勉強するのなら、その努力をムダにしないことは重要な考え方です。

オセロゲームとはとてもおもしろいたとえです。現実的なことを言えば、将来、好きなことを専門にして勉強しても、ツライ局面に直面することも多いはずです。そうした時には、このように努力を貫けるだけの根気と確信がやはり大切です。これからも、がんばってください。

寒さにふるえた者ほど太陽を暖かく感じる。

ホイットマン（詩人）

5-4　自分の学力を客観的に評価しよう

イヌに早く課題を覚えさせるための秘策とは何でしょうか。

それは簡単なことです。教える手順を分解すればよいのです。要するに、学習をステップごとに分けて、少しずつ覚えさせるわけです。

先にも述べたように、いきなりテレビの前にイヌを座らせて画面を点灯し、エサとボタンの関係を学習させようと試みても、そう簡単に覚えてくれるものではありません。何百回もミスをしてしまうイヌもいます。なぜでしょうか。それは、この課題には因果関係が二つあるからです。つまり、「ボタンを押せばエサがでる」という関係と、「図形が点灯したらボタンを押す」という関係の二つです。

先に、「学習とはものごとの関連性を習得することである」と言いました。独立していた事象を連結することです。今回のイヌの課題は、この二つの関連学習を同時にやらせていることになります。

二兎を追うものは一兎をも得ず。二つのことを一度に覚えるのは、イヌにとって難しいのはあたり前でしょう。効果的に覚えさせるためには、この二つの手順を分解して、ひとつずつ丁寧にイヌに教えるようにします。

まずは、画面の点灯とは関係なくボタンを押しさえすればエサが出てくるように設定した装置の前で、課題を完全に覚えさせます。そして、これを学習したあとで、画面に円が出たときにだけエサがでるような設定に変えて、画面点灯との関係を再度じっくりと覚えさせればよいわけです。このようにすれば、イヌの学習が格段に早くなります。

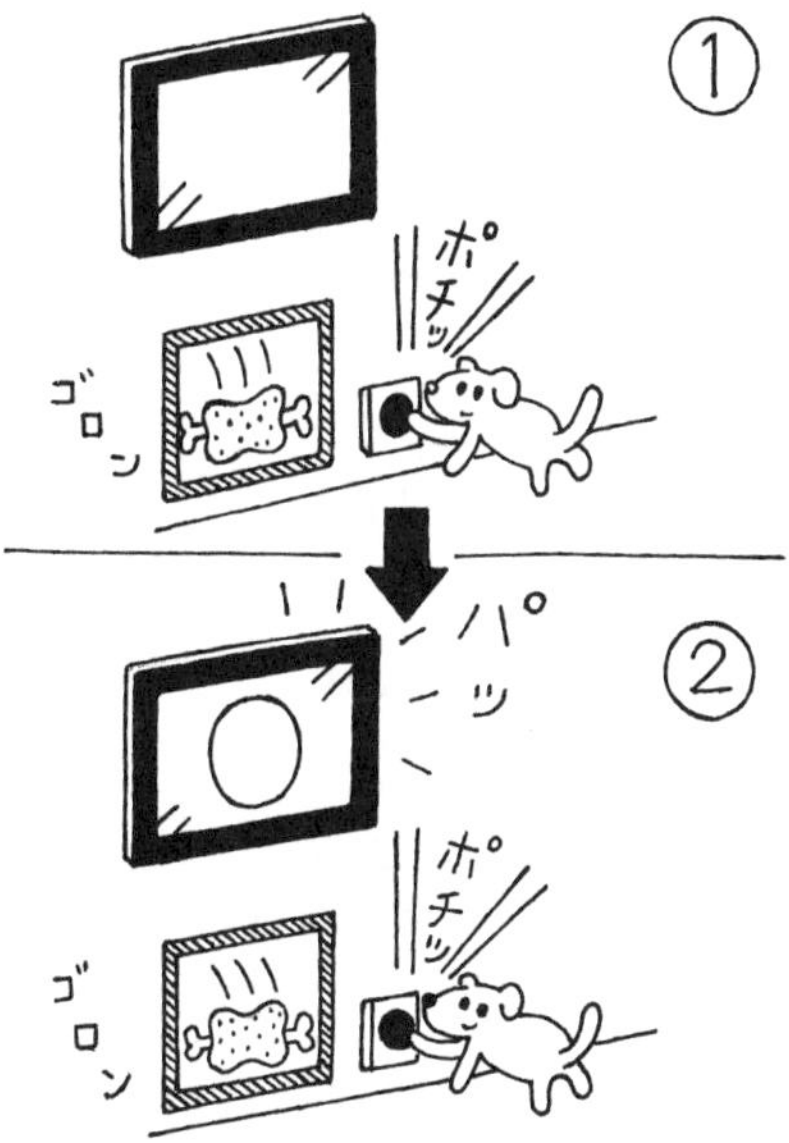

二つの関係を同時に覚えさせるのではなくて、一つひとつの段階を分けて覚えさせるのは、一見遠回りのように見えますが、実際には格段に学習効率が高いのです。このイヌの実験の場合ですと、覚え

るまでの失敗数は十分の一くらいになります。たった一つのステップを切り離して覚えるだけで、なんと学習効率が十倍にもアップするのです。

これは学校の勉強に応用できます。

いくら非効率に感じられても、きちんと学習手順を踏んだ方が、結果的には失敗の数が少なくてすみます。いきなり高度なことに手を出してはいけません。しっかりと基礎を身につけてから、少しずつ難易度を上げていった方が、最終的にははるかに早く習得できるのです。

このように手順を分けて覚える方法を「スモール・ステップ法」と言います。

ステップを分解すればしただけ、効果は大きくなります。イヌではたった二つに分解しただけでも、十倍の成績が得られました。さらに細かく分解できるようであれば、もはや、その効果は計り知れません。

実際、学校の教科書は基礎から応用へと流れるようなステップで進行されています。しかし、書店で売っている参考書には、使用する学生に応じてさまざまなレベルのものがありますから注意が必要でしょう。一年生がいきなり受験生用の参考書に手を出すのは無謀です。急がば回れ。早く高度なことを習得したいとはやる気持ちは分かりますが、それは決して効果的な勉強法ではありません。かえって遠回りになるのです。

何かを理解しようと思ったら、遠くを探すな。 ゲーテ（作家）

スポーツでも楽器でもそうです。何か新しいものを習うときには、必ず手順があります。サッカーボールを蹴《け》ったこともないのに、いきなりオーバーヘッドキックの練習から始めても、習得には時間がかかるでしょう。いや、ケガをして何カ月も進歩が止まってしまうかも知れません。自分が今どこまでできて、どこからができないのかを正確に把握して、弱点を少しずつ克服するように心がけましょう。

「人間のもっとも偉大な力とは、その人の一番の弱点を克服したところから生まれてくる」とアメリカの識者レターマンが語っているように、何よりもまず、自分の学力レベルをしっかりと見極めることが大切です。

もし数学が苦手で、その学力がまだ小学生レベルであったとしたら、高校生向けの教科書や参考書を使って勉強したところで、チンプンカンプンなはずです。どんなに努力してもほとんど数学の成績は上がらないでしょう。そういう場合は、高校生であることのプライドは捨てて、小学生用の算数ドリルを解くことから始めるべきです。そうすれば、最終的に費やす勉強時間は少なくてすみますし、学習時間に見合った成果が得られます。

まずは自分の弱点を知る。そして、その弱点を少しずつ克服する。ゴールを遠くから眺めて気ばかり焦《あせ》るのは禁物です。常にスモール・ステップ法を心がけるようにしましょう。「やるべきことは、遠くにぼんやり見えるものを見ることではなく、手近にはっきり見えるものを行うことである」とは史学者カーライルの言葉です。大きな目標だけではなく、達成しやすい小さな目標を作って、少しずつ前に進んでいくのが、脳にとって効率のよい方法です。なにごとも一歩いっぽです。

先ほど、神経細胞のシナプスにはどのくらいの情報を次に送るべきかを変更できる自由があると述べました。

脳はコンピュータのように、そっくりそのままを送ったり保存したりするのではなく、「似ているもの」を覚えるために、「似ていないもの」を消去していきます。そのために、脳はコンピュータと違ってしょっちゅう間違えるのです。まさに「人間らしい」存在です。

「分かる」とはどういう状態のことか。「分かる」は取りも直さず「分けられる」のことです。だから、皆さんは「分からない、分からない」と嘆《なげ》く暇があったら、「分ける」ことです。分かるところまで遡《さかのぼ》って、そこからやり直すことです。

「分からない」のは「分けられない」ことだから、とにかく小さく小さく刻むことです。そう、スモール・ステップが最善最短なのです。大局をつかんで、それを大きくいくつかに切って、さらにそれを小さく刻む。一つひとつ手順を踏んで積み上げていくことです。

勉学とは、いわばレンガを積んで少しずつ家を建てるようなものです。ハリボテの家は風がくれば吹き飛んでしまいますが、レンガで造られた家はそう簡単には崩れません。

体験談8

参考書のレベル

出遅れた感があったのでいきなりハイレベルの参考書を買ったけど、時間ばかり食ってちっとも進まない。そこで、今度は書店でぱらぱらと立ち読みして、七割くらいできそうな問題が並んでいる問題集を買って来て二週間でやりきったら、なんと偏差値が十も上がってしまった。

二冊目の問題集を買ったおかげで九五〇円ソンをしたが、思い切って買い替えてよかった。（高三・愛知）

著者からのコメント

そうですね。自分に合った問題レベルの参考書を選ぶことは、とても大切なポイントです。目標ばかり高く掲げて、難しい問題集の前に悶々《もんもん》としている人を時々見かけますが、あまり感心しません。自信をなくす原因にもなりかねませんし、時間のムダであるといってもよいでしょう。

どんな場合でも、お金には換えられない貴重なものがあると認識してください。

ただ、この体験談の場合は、はじめに買った参考書は、将来、自分がそのレベルに達したときに使えるので、ソンしたなんてことはありませんよ。いずれにしても、現在の自分の状態に対する判断を誤らないことが重要です。詳しくは、本文中のスモール・ステップ法の項を参考にしてください。

脳心理学コラム12

作業興奮

神と悪魔が闘っている。そして、その戦場こそは人間の心なのだ。

ドストエフスキー（作家）

心の葛藤《かっとう》は勉強でも常に生じています。「勉強しなきゃいけないのは分かっているけど、どうしてもヤル気が出ない」と感じることはありませんか。実際に、「ヤル気」は勉強の原点であるといってもよいくらい重要な要素です。

ＩＱ試験で有名な心理学者ビネーが、知能に必要な要素を三つ挙げています。論理力と言語力と熱意です。熱意、つまりヤル気を含めているのはさすがです。

ときおり親や先生が「やればできるのに」と子供を励ますのを見かけます。しかし「やればできる」は「できない」と同義です。なぜならヤル気がないからです。三大要素の一つが欠けていることを赤裸々に指摘しているわけです。ではヤル気を出すにはどうしたらよいでしょうか。

ヤル気は、脳の「側坐核《そくざかく》」という場所などで作られます。側坐核は直径一センチメートル以下のとても小さな脳部位で、脳の中心近くに存在しています。この側坐核の性質がやっかいなのです。側坐核を活動させるためには、ある程度の刺激が必要なのです。刺激が来ないと十分な活動をしてくれません。

ですから、何もしないでいて「ヤル気が出ない」のは、当たり前なのです。刺激を入れなければ側坐核は活動しないので、ヤル気のだしようがないわけです。ですから、ヤル気が出ないときには、まずは何より机に向かって勉強を始めてみましょう。とにかく側坐核を刺激するのです。そうすると、しだいにヤル気が生じて勉強に集中できるようになっていきます。案ずるより産むが易し。勉強は始めさえすれば五十％終わったようなものです。

たとえば大掃除。皆さんにも、嫌々ながら掃除を始めたにもかかわらず、そのうちに気分が乗って、部屋をすっかり片づけてしまった経験があるでしょう。こうした現象は精神医学者クレペリンによって「作業興奮」と名づけられました。始めると、だんだん調子が出て、集中できるようになる。これが作業興奮です。側坐核が目を覚ますのには時間がかかります。だから、とにかく机に向かって勉強を始める。そして、始めたら十分は中断しない。この姿勢が肝心です。

5-5 記憶はもともと曖昧《あいまい》なもの

スモール・ステップ法は学習を効率化する方法です。

手順を踏むと成績が上昇するというこの事実は、コンピュータの記憶とはまったく異なります。コンピュータは、それがたとえ多段階で複雑な手順でも、試行錯誤することなく一回の記憶で完全に習得することができます。しかも正確無比です。一方、脳は、失敗を重ねて一つひとつ手順を踏まなければなりません。

こうして考えると、コンピュータの記憶力はなんとすばらしいのだろうと羨《うらや》ましくなってきます。逆に、ヒトの脳がどうして「消去法」などというマヌケな学習方法をとっているのかと恨めしくさえ感じます。そのせいで、テスト前に思い通りに記憶できなくて苦い思いをするのですから。

動物は進化の過程で、なぜこんなに不完全な脳を創《つく》ってしまったのでしょうか。次に、この理由を考えてみましょう。脳のこうしたちょっぴりマヌケな性質には、じつに深い理由があるのです。

その理由を探るために、イヌの実験にもどりたいと思います。イヌに新たな課題を出してみましょう。画面に点灯する図形を変えてみるのです。今までは「丸い図形」を画面に点灯させていました。「丸い図形が出たときにボタンを押せば、エサがもらえる」ことを教えていたのでした。ここで、円形ではなく「三角形」を点灯させてみましょう。さて、どうなるでしょう。イヌは三角形を見るのははじめてです。

しかし、イヌは三角形を見ても、動じることなくボタンを押します。一見なんの変哲もないこの実験結果には、脳の本質に関する重要な事実が隠されています。

この実験結果は、イヌにとっては円形であろうと三角形であろうと関係なかったことを示しています。あくまでも画面の点灯に反応していただけだったわけです。

これが、脳がコンピュータと異なる最大の点なのです。コンピュータにとっては円形と三角形では大違いです。コンピュータに「画面に丸い図形が点灯したらボタンを押しなさい」と教えこんだら、三角形が点灯したときには反応しません。記憶が正確なのですから。

そう言われてみれば、「お手」や「お回り」などの芸ができるイヌは、それを習うときに聞いていた声色でなくても、ほかの人に「お手」と言われれば芸をこなすことができます。声色は誰のものでもよいのです。脳の記憶はコンピュータとくらべて、かなり大ざっぱでいい加減であると言えます。丸も三角も区別していないのです。

一般に、記憶とは厳密なものではなく、むしろかなり曖昧で適当なのです。これこそが脳の記憶の「本質」なのです。次に、この本質の意味について考えてみましょう。

体験談9

アメとガムで敵に勝つ

先輩から、大学入試にはぜひアメかガムをもって行けと教わった。何でも、脳はやたらにエネルギーを食うらしいのだが、一番エネルギーに換えやすいブドウ糖しか受け付けないんだそうだ。アメというのは化学的に言うとショ糖で、ブドウ糖の分子が二つくっついたものだから、なめれば即、脳を働かせるエネルギーになるという理屈だ。

ガムは噛《か》んでいると頭が冴《さ》える。それは、奥歯を噛みしめることによって、脳に送られる震動が脳を目ざめさせるのだそうだ。逆に、テキやカツは消化のために胃腸に血液をとられて、脳にそのエネルギーが回ってくるのは、試験が終わった後だそうな。

どこの落語家が言い出したことか知らないが、テキやカツは敵に勝ってから食べるもののようだ。（高三・大分）

著者からのコメント

ここに書いてくれたことは、だいたい正しいと思います。ただ、ガムは受験中に噛んでもよいのでしょうか。事前に確かめておいた方が無難でしょう。ちなみに、ショ糖は「ブドウ糖が二つ」ではなく、厳密には「ブドウ糖と果糖がひとつずつ結合したもの」です。果糖は体に吸収されると、すぐに脳の栄養源であるブドウ糖に変化します。

アメのパワーで脳みそバリバリ絶好調!!
…ってムリでしょ勉強してないもん
テスト

脳心理学コラム13

ブドウ糖

世の中には無類の甘党がいるものです。饅頭《まんじゅう》さえ食べていれば幸せになれる人、たらふくディナーを食べたあとにさらにケーキを収める別腹を持っている人などなど……。皆さんの周囲にもいませんか。

いわゆる三大栄養素には、「タンパク質」「炭水化物」「脂肪」があります。どれも体にとっては重要なものばかりです。しかし、神経細胞が使う栄養は主に「ブドウ糖」です。つまり糖分や炭水化物なのです。脳は体の中でももっとも大切な組織に位置づけられているようで、毒などが侵入しないように頑丈に守られています。タンパク質や脂肪でさえうまく脳に入り込めません。すこしでも危険性のある物質は、脳には侵入できません。つまり、脳が安全だと選んだ栄養素が「ブドウ糖」なのです。

もうお分かりでしょう。ブドウ糖を補給すると、脳の働きが活発になります。かつてはこの事実を否定する研究者たちがいましたが、私たちの研究室で確認したところ、たしかにブドウ糖で脳が活性化するようです。

休憩のときにコーヒーを飲む人がいます。コーヒーは脳の活動を高めてくれる魔法の嗜好品《しこうひん》ですが、そこに砂糖を入れるとさらによいかと思います。ちなみに、砂糖は太ると信じている人がいますが、必ずしもそんなことはありません。高カロリーだからといって太る原因になるとは限りません。太る原因は多くの場合が脂肪の摂取のようです。ダイエット中でも適度な砂糖はとり続けましょう。

また、受験の朝に「勝つ」と縁起をかついでカツを食べる人もいるようですが、カツは肉、つまりタンパク質ですから、脳はこれをすぐには利用できません。むしろ、ゴハンやパンやイモなどの炭水化物を食べる方が吉かもしれません。

5-6　失敗したら後悔ではなく反省をしよう

脳の記憶の本質はその「曖昧さ」にあります。実際、イヌの実験では円形も三角形も区別しませんでした。

しかし見方を変えると、むしろ区別する必要がなかったから、あえて区別しなかったとも解釈できます。脳の学習は、コンピュータとは違ってあくまで「消去法」です。つまり学習の過程で、三角形を消去することを習っていなかったのです。

コンピュータのように正解だけを覚える方法なら、はじめから三角形は候補から外れています。だから、三角形が画面に点灯しても無視します。

コンピュータの仕事は正確無比なのです。ミスなく完璧《かんぺき》に情報を処理します。悪く言えば、頭が固いわけです。融通の利《き》かない紋切り型の仕事です。

考えてみてください。もし、エサを食べないと死んでしまうという、絶体絶命の危機的な状況だったら、これは一大事です。イヌのような記憶の仕方だったらエサにありつくことができます。しかし、コンピュータのような覚え方では餓死してしまうのがオチです。

お分かりでしょう。記憶の曖昧さは、生命にとって実効的な意味をもっています。生活している環境は日々刻々と変化しているからです。

変化する環境の中で動物が生きるためには、過去の「記憶」を頼りに、その場その場で臨機応変にさまざまな判断をしながら生活する必要があります。まったく同じ状況は二度と来ないのがふつうです。もしも記憶が正確無比だったら、変化を続ける環境の中では、活かすことのできない無意味な知識になってしまいます。

だから、記憶には厳密さよりも、むしろ曖昧さや柔軟性が必要とされるのです。ほどよく曖昧であることが重要なのです。こうした柔軟性があるからこそ、何度失敗してもそれを活かして成功に導くことができます。これは私たちの脳に与えられた尊重すべき特長です。

「似ているもの」を覚えるために「似ていないもの」を削除していくという、なんとも手間のかかる消去法が脳に使われている理由は、まさにここにあったのです。

ですから、皆さんは自分が正確にものを覚えられなかったからといって、もちろん落ち込む必要などありません。脳とは本来そういうものなのです。いつまでたっても、記憶には必ずどこかに曖昧な部分が残っているものです。「失敗には達人というものがいない。人は誰でも失敗の前には凡人だ」と作家プーシキンも語っているように、どんなに学問を究めても失敗は決してなくなりません。二十年も脳科学を専門にやってきた私も毎日が失敗の連続です。

失敗は恥ずかしいことではありません。失敗をむやみに恐れる必要はありません。失敗して「後悔」するのではなく、失敗して「反省」することが大切です。

ドジを踏むことは人間の仕事です。

ヴォルテール（作家）

記憶が曖昧になってしまったり、ときに消えてしまったりすることは、脳の性質上、ある程度は仕方がありません。これはそういうものだと割り切りましょう。コンピュータのような正確無比な脳は、もはや「脳」としては役に立ちません。「何でも正確に記憶して、いつまでも忘れないのが優れた脳である」という妄想は誤解にすぎません。人間とは、本来忘れたり間違ったりするものなのです。その欠点を補うために、人はコンピュータを開発したのです。

欠点があることは人間の長所である。

ユダヤの格言

脳心理学コラム14

初頭努力・終末努力

皆さんは集中力がどのくらい続きますか。三十～六十分くらいという人が多いでしょうか。授業時間やテスト時間がその忍耐時間よりも長ければ、集中力は途切れて当然です。

一般に、何かの作業を行うとき、初めと終わりが特に集中力が高くなることが知られています。この現象を、それぞれ「初頭努力」「終末努力」と呼びます。つまり、テスト開始直後は問題を解くことに集中していますし、また試験時間の終了間際《まぎわ》も同様に仕事効率が上昇します。しかし、その間の途中の時間は、集中力が途絶えがちで、うっかりすると時間をムダにしてしまうことさえあります。「中だるみ」という現象です。これでは成績の上昇は望めません。

中だるみを回避する秘策のひとつは、テスト時間を前半と後半に分けることです。たとえば試験時間が六十分だったときには、前半の三十分でテストが終わると思い込むのです。そうすれば、初頭努力と終末努力がテストの前後半で各二回ずつ訪れます。ふだんだったら集中力が切れてしまう三十分前あたりで、終末努力が起こって集中力が高まります。また、後半戦を始めたばかりの三十分過ぎにも、初頭努力によって集中力が高まります。このようにテスト時間を分割すれば、集中力を効果的に分配することができるのです。

時はその使い方によって金にも鉛にもなる。

プレヴォ（作家）

5-7　長期的な計画をもって勉強しよう

脳は曖昧《あいまい》でいい加減なことを説明してきました。それでは、イヌは画面に映った円形と三角形を、永遠に区別できないのでしょうか。

もちろん、そんなことはありません。しっかりと区別させることができます。さて、どうすればよいでしょう。

答えは簡単です。円形のときだけエサを与えるようにすればよいのです。

もちろんはじめは、イヌは三角形が点灯してもボタンを押してしまうでしょう。課題が変わったことを理解していませんから当然です。しかしこの失敗を何度か繰り返すと、三角形ではエサがもらえないことに気づきます。すると三角形は無視して、円形の点灯のときだけ反応するようになります。つまり、円と三角形の区別ができたわけです。

あとは同じような訓練を積めば、「円形と四角形」や「円形と五角形」の区別もつくようになります。これもスモール・ステップ法です。最終的には「円」と「微妙な楕円《だえん》」の違いすら見分けることが可能になるでしょう。しかし、もともと図形の区別ができないイヌに、いきなり円と楕円を見分ける訓練をさせても、いつまでたってもその違いを見分けるようにはなりません。

この事実もまた重要です。要するに、違いの大きなものを区別できるようになってからでないと、小さな差異を区別できるようにならないのです。「勉学は道路のようだ。一番の近道はふつう一番悪い道だ」と哲学者ベーコンが語っています。遠回りにも思えますが、円と楕円の違いを学習するためには、まず円と三角形の区別を覚える方が結果としては早く学習できます。脳は曖昧な記憶方法をとっているため、こうした段階的なステップを踏むことが必要になります。細かいものごとの差を知るためには、まず一度、大きくものごとをとらえて理解することが大切です。

勉強にも応用できます。何かを学習しようとする場合には、まずは全体像をしっかりと理解しておくことが大切でしょう。はじめは細部を気にしなくてもいいですから、とにかく全体を大まかに把握しましょう。細かいことはそのあとで少しずつ覚えていけばいいのです。どっちみち記憶はもともと曖昧ですから、はじめは似ているものの区別はできません。

たとえば、西洋絵画に興味がない人には、どの油絵も同じような絵に見えてしまうでしょう。ルネッサンス絵画だの印象派絵画だの言われても、さっぱり分かりません。しかし興味をもって絵画を見つめていると、そのうちに目が慣れてきて、ルネッサンス絵画と印象派絵画の区別ができるようになります。さらに研鑚《けんさん》すれば、モネやルノアールやゴッホなどの印象派画家の各々《おのおの》の差まで区別ができるようになります。

野球観戦でもそうです。何度もテレビ中継を見て、しだいに目が慣れてくれば、ピッチャーの投げたボールがストレートだったのかスライダーだったのか、見分けがつくようになります。野球を見たことがない人が、いきなりこの判定をしようと思ってもとても無理な話です。

いずれのケースにしても、その人が特別に優れた脳をもっていたから絵画や球種の細かい区別ができたというわけではありません。それに見合った努力と訓練をしてきたからこそ理解できたのです。こうした細かい判別は大から小へと順を追って訓練させ積めば、誰にでも可能なことなのです。

これは勉強でも同じことが言えます。たとえば、日本史を習うときのことを考えてみましょう。ある特定の時代の細部をいきなり理解しようとしてはいけません。はじめて習うのに、いきなり細かいことが分かるはずがないからです。もし、この原則を破って、いきなり平安時代のある細部を勉強したとしても、そこで得た情報は所詮《しょせん》、理解の浅い知識です。全体から切り離された断片的な情報は、十分には役立ちません。無用な知識は脳の中からすぐに消えてなくなってしまうでしょう。

これを避けるためには、まず石器時代から現代までの全体像を大局的にとらえて、大きな歴史の流れを把握することが肝心です。それから、各時代の内容を少しずつ深めていくべきなのです。細かい部分などは後回しでよいのです。こうした学習方法は決して遠回りではありません。脳の性質に則《のっと》ったとても効果的な方法なのです。「大きな視点をもつ人間には、小さな失敗はほとんど脅威とならない」と一九世紀イギリスの指導者ディズレーリも言っています。もし皆さんが、有意義な記憶をできるだけ長く脳に留めておきたいと思うのなら、目前の定期テストのことばかりに目を奪われることなく、自分に合った長期的な視点で勉強計画を立てて勉学に臨みましょう。

脳心理学コラム15

BGM

音楽を聴きながら勉強している人はいないでしょうか。いわゆる「ながら族」は一般には軽蔑《けいべつ》されがちですが、あながち悪いことばかりではありません。まずは、しっかりとBGM（バックグラウンド・ミュージック）の効果を理解することが重要でしょう。

防音壁に囲まれたまったく無音の空間におかれると、動物はふつう集中力を欠き、学習能力がてきめんに低下します。気づくか気づかないか程度の小さな音（騒音やBGMなど）がないと、ヒトを含めて動物たちは能力を十分に発揮できないのです。静かすぎる図書館にいくと落ち着きがなくなる人がいますが、それも無音効果によるものかもしれません。

しかし、だからといって、むやみにBGMをかければよいのかというとそういうわけでもありません。確かにBGMは精神的な緊張を和らげ、退屈感を少なくし、疲労感を減じる効果があります。とくに単純な作業の場合は、BGMは集中力を高める効果を発揮します。しかし難問に取り組み、高度な判断を必要としているときにはかえってマイナスになるようです。

ＢＧＭの効果は人によっても異なります。一般に、音楽が好きな人にはよい効果がありますが、マニアには逆効果ですし、無関心な人にはほとんど影響がありません。ですから、まずは暗記などのような単調作業のときにＢＧＭを流してみて、自分にとって効果があるかどうかを確かめてみるのがよいと思います。

もしＢＧＭ効果によってよく覚えられたという経験をしたら、同じような学習には同じ曲を使うとよいと思います。これが条件反射となって、テスト中に学習内容を思い出すきっかけを生むこともあるようです。ＢＧＭは使いようです。

5－8　まずは得意科目を伸ばそう

イヌの学習実験を通して、脳の性質のさまざまな側面を考えてきました。ヒトの脳の本質が、動物の脳に隠れていることを実感してもらえたでしょうか。

最後に、もう少しイヌの実験の話を続けましょう。なぜなら、「円」と「楕円」の区別ができるようになったイヌをよく観察すると、さらにおもしろいことが分かるからです。

円と楕円の区別ができるようになったあとでは、なんと、正方形と長方形の区別までが早く身につくのです。つまり、ある図形の細かい部分が見えてくると、ほかの形の細かいところまでが区別できるようになるのです。これも脳の重要な性質です。

そう言われてみれば人間でも、野球がうまい人はソフトボールの上達も早いです。また、英語をマスターした人はフランス語の習得も楽になります。ある分野の理解の仕方を覚えると、ほかの分野に対する理解の仕方を助けるのです。勉強でもそうです。ある問題の解法を覚えれば、似たようなパターンの問題にも、科目を超えて応用することができます。

要するに、ものごとを応用する力が身につくわけです。これもまた、脳が消去法を使っているからこそ可能なことなのです。要らないものを削っていくという方法は、ものごとの本質（エッセンス）を残すという戦略です。だから、エッセンスが共通しているものには、知識が応用できるのです。こうした高度な適応力は、コンピュータにはとても難しいことでしょう。

こうした現象からも、脳はあるものごとを記憶するときには、その対象自体を記憶するだけではなく、同時に対象への「理解の仕方」もいっしょに記憶していることがうかがえます。そして、その理解の仕方を応用して、異なるものごととの間に潜む「法則性」や「共通点」を見つけ出して、ほかの対象をより速くより深く理解することができるというわけです。[22]

この点もまた、学習において重要なポイントになります。ひとつのことを習得すると、ほかのことを学習する基盤能力も身につくなんて、なんとも都合のよいことではありませんか。この現象は「学習の転移」と呼ばれています。

重要なことは、転移の効果は、学習のレベルが高くなればなるほど大きくなることです。つまり、多くのことを記憶して使いこなされた脳ほど、さらに使える脳となるわけです。使えば使うほど故障がちになるコンピュータとは違って、脳は使えば使うほど性能が向上する不思議な学習装置なのです。

勉強で言えば、ある科目のどこかの部分を十分に理解すると、ほかの部分も理解しやすくなります。もちろん記憶も正確になります。先ほどの日本史のたとえでは、全体像をきちんと把握した上で、まずは縄文時代をしっかりと理解したとします。すると、平安時代の理解も多少やさしくなるということです。いきなり平安時代を理解するよりも、習得に費やす時間が少なくてすむはずです。このようにして、ほかの時代についても一つずつ制覇していけば、最終的には日本史全体を究めることができるようになります。

さらに日本史を十分にマスターすると、こんどは世界史の習得も容易になります。そして、その効果は社会だけでなく、国語、英語、数学へと広がっていくでしょう。

どの科目でも優秀な成績をとることができる学業の優れた人は、ひとつの科目すらもマスターしていない人から見ると大天才に見えます。しかし、それはいろいろな科目の学習能力が、転移しあった結果そう見えているだけのことです。決して生まれつき頭がよいわけではありません。能力は遺伝だけでは決まりません。

逆に言えば、皆さんもある科目をマスターしさえすれば、比較的容易にほかの科目の成績を上げることができるということになります。どの科目も均等に勉強して、平均的に成績アップを狙《ねら》う方法よりも、ひとつの科目を集中して勉強して、まずはそれを究めてしまう方が、長い目で見れば得策なのです。

目前にテストが迫っていると、赤点逃れのためにすべての科目に力を注いでしまいがちです。テスト前はそれも仕方がないでしょう。しかし、ふだんの勉強では、ひとつの科目になるべく多くの時間をさいて、その科目をしっかりと習得できるように心がけるのがよいと思います。

すべてを得んとするものは、すべてを失うものである。　山名宗全（武将）

まずは、何でもいいから得意科目をひとつ作ることです。誰にも負けない得意科目を作ってから、ほかの科目の習得に挑む方が脳科学的にははるかに効果的です。

体験談10　教科別の仕上げ順

入試までのタイムスケジュールとして、現代文→古典→数学→英語→理社の順に仕上げていけと先輩が教えてくれた。

それによると、現代文と古典はなるべく早めに始めて、高二の終わりまでにいったんは入試レベルにもっていく。英語は時間がかかるので、高一から入試直前までの継続闘争にならざるをえない。

ただ数学だけは、センターレベルでいいのなら、典型的な問題を使って解法パターンを繰り返し暗記すればいいけど、難関大学の融合問題や見たこともないような非典型問題になると太刀打ちできない。数学はセンターレベルより少し上程度の問題まではやって、それ以上のレベルは捨てて代わりにほかの科目で稼ぐ。東大の文系では、数学0点合格者が毎年いるという。逆に、数学で少しは点を取らないと厳しいというのなら、徹底的にやる必要がある。土日や長期休暇の期間を利用して、安易に正解を覚えるのではなくて、「ああでもない、こうでもない」とたっぷり試行錯誤し悪戦苦闘しなければ、一点も取れるようにはならない。

理社はまず、志望校の出題傾向やレベルを調べて、学習範囲を絞り込む。その上で、因果関係や全体の体系や流れをつかみ、ポイントを整理しながら進めていく。最後の三カ月で一気に総復習して入試会場になだれ込む。(高二・福岡)

著者からのコメント

相談者は文系なのでしょうか。だとしたら、まず得意科目であるはずの現代文や古典や英語を仕上げて、入試レベルに持っていくという戦略はよさそうです。重要科目を早い段階で確保しておくことは肝心です。「学習の転移」効果が生じてほかの科目の習得によい影響を及ぼすだけでなく、精神的にも安心感が得られます。直前までどの科目もモノにしていないと、焦《あせ》りはじめ、勉強そのものに身が入らないという悪循環に陥ることにもなりかねませんから。

ただし、あまりに明確に勉強する科目の順番を決めてしまうのも逆に考えものです。なぜならば、一度入試レベルにあげた科目は、それを維持するための努力も必要ですし、また互いの科目は脳の無意識のレベルで関連していて相互に理解を深め合いますので、各科目を完全に独立して学習するのがよいとも限りません。

　また、理科や社会のような暗記が多い科目を、試験直前まで残しておくのはいかがでしょうか。確かに暗記モノは直前に行った方が効果は高いのですが、あまりにも量が多いとむしろ逆効果になります。記憶の干渉が生じるからです。強引な暗記は知識の混乱を招いたり、もしくは十分に記憶できなくて失敗することも多いのです。これらの注意点を考慮にいれて、長期的な学習プランを立てることをおすすめします。

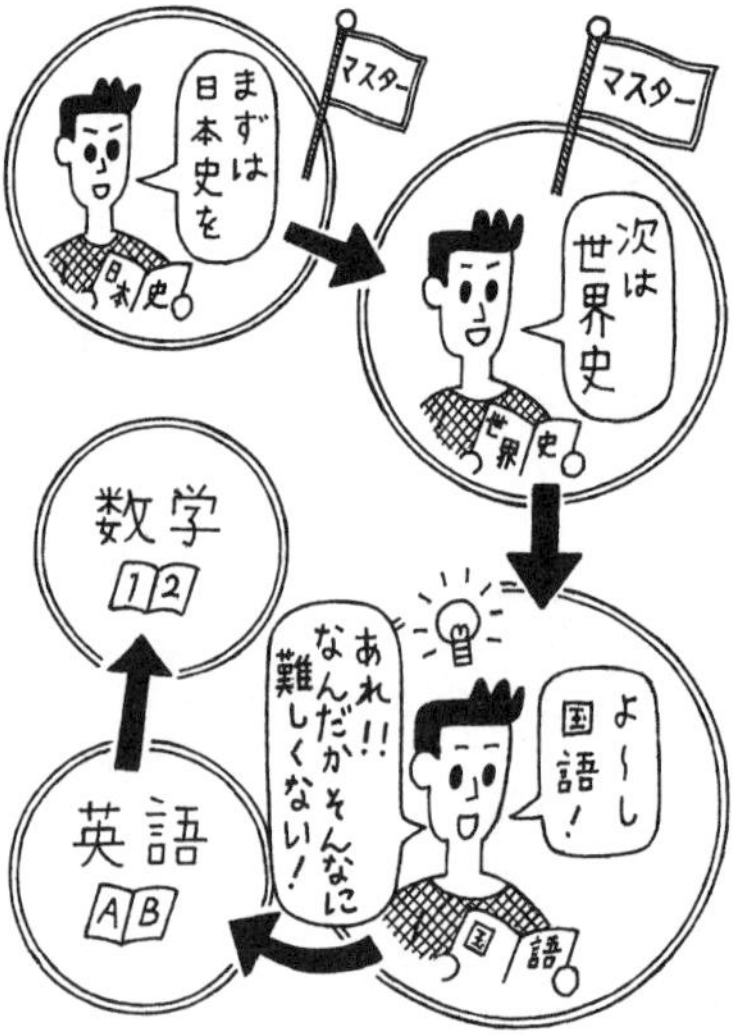

第6章

天才を作る記憶のしくみ

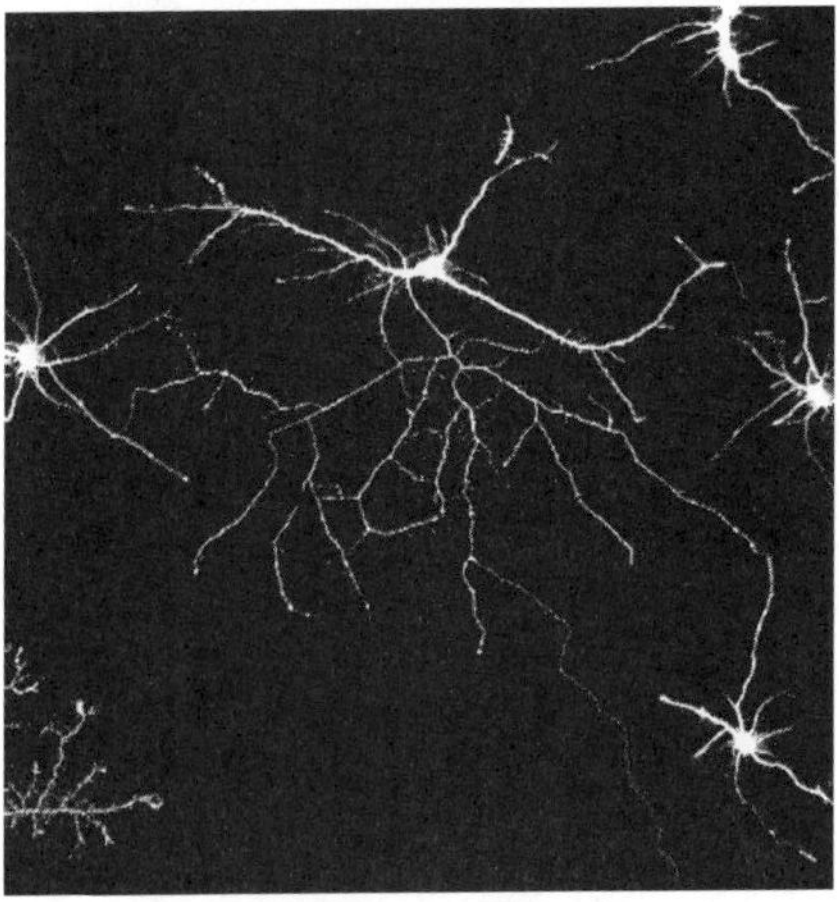

クラゲの蛍光遺伝子を組み込まれた光る神経細胞

6-1 記憶の方法を変えよう

この章では、記憶の種類と性質について説明します。それぞれの記憶の特性を通して、脳の「使い方」を学びましょう。本書を通じてもっとも強調したいことを、この章で展開してゆきます。脳に秘められた記憶力を駆使するための奥義《おうぎ》です。

まず、皆さんが「記憶」に対してどんなイメージを持っているかを実験で確認することから始めます。そのために、自分自身の「過去の記憶」を思い出してもらいましょう。何でもいいですから具体的に思い出してみてください。さて、何を思い出しましたか。

通学中に転んでケガをしたこと。
学校のテストでよい点数をとったこと。
友達との約束を破ってしまったこと。
恋人にフラれたこと。

いろいろと思い出せるでしょう。さらに考え続ければ、次々と思い出せるはずです。まるで自分の記憶には際限がないかのように。

もちろん、思い出す内容は人それぞれでしょう。しかし、人によってさまざまな記憶があったとしても、いま思い出してもらった記憶には、ある重要な「共通点」があります。気づいたでしょうか。

答えは、そのどれもが、すべて自分の経験したことや体験したことであるという点です。

「なんだあ、そんなのあたり前だよ」と思った人もいるでしょう。しかし、これは驚くべき事実なのです。なぜなら、皆さんの脳にはもっと違う種類の記憶が、ほかにもたくさん詰まっているからです。

たとえば、三角形の面積の公式、英単語、円周率、通学路の道順、俳優や歌手の名前など、さまざまな記憶がいっぱい詰まっているでしょう。いわゆる「知識」や「情報」といった類《たぐい》のものです。これも皆さんの過去にたくわえられた立派な記憶のはずです。

しかしながら、先ほど、何でもいいから思い出してくださいと私が要求したときに、このような知識を思い出した人はいないと思います。「円周率は三・一四である」など忘れ思い出した人は一人もいないでしょう。それが同じ過去の記憶であるにもかかわらずです。

つまり、「記憶」と一口にいっても、それは一種類ではないのです。簡単に言ってしまえば、「自由に思い出せる記憶」と「自由には思い出せない記憶」があるのです。

さて、ここで用語を定義しましょう。自由に思い出せる記憶、つまり自分の過去の経験が絡《から》んだ記憶を、この本では「経験記憶」と呼びましょう。一方、何らかのきっかけがないとうまく思い出せない知識や情報のような記憶を「知識記憶」と呼んで区別することにしましょう。

皆さんはきっと「ど忘れ」をしたことがあるでしょう。「う～ん、何だっけ？　ここまで出かかってるんだけど……」などというのは、ほとんどの場合、人や物の「名前」であるはずです。これは知識記憶です。先ほどの実験でも分かるように、知識記憶は自在に思い出すことはできません。思い出すためには、きっかけが必要です。きっかけが弱いと思い出せなくても不思議ではありません。ど忘れは、認知症の始まりではありません。単に、知識記憶だから思い出しにくかっただけのことです。

残念ながら、学校のテストで覚えなければならないものは、ほとんどが知識記憶です。漢字の読み方、年号や英単語、将軍の名前などなど、これらはすべて知識記憶です。知識記憶はきっかけが十分に与えられないと思い出すことはできません。だから、テスト中に焦《あせ》ることになるのです。

さて、ここまでお話しすれば、テスト勉強をどのようにやればよいか、分かったことでしょう。そうです。テストの内容を知識記憶ではなく経験記憶として覚えればよいのです。

経験記憶は、自在に思い出すことができるだけではありません。自分にまつわるエピソードはすんなり覚えられることからも分かるように、覚え込むこと自体が楽なのです。そして何よりよいことは、忘れにくいという事実です。知識はすぐに思い出せなくなってしまいますが、経験したことは後々まで比較的よく覚えていられます。知識記憶にくらべれば、経験記憶はよいことずくめです。

脳心理学コラム16

恋する脳

「恋人ができたとたんに学校の成績が落ちた友人がいるんだけど、それは恋愛をしたせいなの？　単に本人の努力不足のせいなの？」

成績と恋愛の関係は、もっともよく受ける質問のひとつです。しかし皆さんは、なぜ「恋愛」などという感情が、そもそも脳に備わっているのか考えたことがありますか。

恋愛とはある特定の異性に惹《ひ》かれる感情です。恋愛すると、それ以外の多くの異性が世の中にいるにもかかわらず、目に入らなくなります。それは自分が優秀だと感じた人間の子孫を残そうという意志の現われだと解釈されますが、もっとちがった捉え方も可能です。

世界には現在三十数億の異性がいます。そのすべての異性に出会うことは不可能ですから、世界中から「本当」に自分にふさわしいたった一人の人間を選び出すことはできません。つまり、人は皆、ある程度満足のいく相手で我慢しなければばならない運命にあるのです。もっと自分に合った人が世界のどこかにいるかもしれないのに、身近な人で満足しなければならないのです。

　この理不尽な状況を見事に解決してくれるものこそが「恋愛感情」です。「自分にはこの人以外考えられない」「この人こそ私のすべて」と脳に勘違いさせることで、満足感を補うのです。実際、恋愛感情が冷めてしまうと、「なんでこんな人のことが好きだったのだろう」と自分のバカさ加減にあきれることすらあります。

「恋愛感情」はＡ10《テン》と前頭葉の連係プレーによって生み出されるようです[23]。この連係プレーが生じると脳が恋愛対象で占拠されるようになります。好きな人以外のものが脳から排除されるのです。当然、学校の勉強のことも排除されます。ドイツの詩人ローガウは、「恋が入ってくると、知恵が出ていく」と詠《うた》っています。恋愛とは相手以外のことを考えなくてすむように脳が仕組んだみごとな仕掛けなのです。ですから、恋愛して成績が落ちたとしても、脳科学的にみれば不自然なことではありません。

　もちろん、恋人と同じ大学に通いたいために励まし合って猛勉強をして、当初は無理だと思っていた難関校に見事合格したなどという微笑《ほほえ》ましい例も、少数ではありますが実際に聞きますので、すべてのケースについて恋愛は勉学に悪影響だとは断言できませんが。

6-2　想像することが大切

同じ参考書を何度も使っている人は、テストの最中に「おっ、これは何章の何ページ目あたりの絵で説明されていたところだな」などという思い出し方をするようです。皆さんにもそんな経験はありませんか。ときには、参考書とはまったく関係のないことが契機となって、たとえば勉強しながら食べていた菓子の袋の絵柄が思い浮かんできて、「そうだ。あの時にやったところだ」と思い出すこともあります。

これらの思い出し方はただの偶然のように見えますが、じつは経験記憶を利用した賢い方法なのです。つまり単純な知識記憶でも、個人的な情報や周辺環境に関連づけて覚えれば、経験記憶に近づくというわけです。

このように、覚えたいものの内容をほかの内容と結びつけることを「連合」と言います。一つの知識を「家」にたとえるならば、家と家の間に道路を作って連結することを想像してもらえればよいと思います。そして、知識の「街」ができあがります。

このように連合によってものごとを次々と連結して、知識をより豊かな内容にすることを「精緻化《せいちか》」と呼びます。精緻化とは少し難しい言葉ですが、ようは、道路を緻密につなげて家から街へ、街から都市へと作り上げるようなものです。知識の都市化計画だといってよいでしょう。

ここで重要なことに気づいてください。精緻化によってものごとを連合させると、そのぶん思い出しやすくなるという点です。

なぜかといえば、「思い出す」という行為は、「知識の都市」に住む人が、友人の住む家（思い出したい知識）を訪ねて行くようなものだからです。道路が発達していれば、目的地にたどり着ける手段が増えます。つまり、思い出しやすくなるのです。

知識記憶と経験記憶の差はまさにここにあります。田舎の町か大都会かの違いです。過疎地で道路が発達していない、あったとしても悪路だったりすると、目的地までたどり着きにくいことになります。これが知識記憶を思い出しにくくさせる原因の一つなのです。

経験記憶は多くの記憶の組み合わせ（綿密な道路網）で出来上がっています。たとえば、「今朝、卵焼きを食べた」という単純な経験記憶でさえ、卵焼きの味・匂《にお》い・色、そのときの食卓の模様、座っている椅子《いす》の感覚、食卓を囲む家族との会話などなど、もはや解析できないほど多くの要素が絡み合って一つの記憶を作り上げています。

まさに情報の大都市です。思い出しやすくてあたり前なのです。

こうした経験記憶の利点を勉強に利用しない手はないでしょう。

そして、当然、一つのことを記憶するときでも、できるだけ多くのことを連合させた方がよいことになります。連合させればさせるほど思い出しやすくなります。仮にそのきっかけが偶然であっても、思い出す確率が高くなるに越したことはありません。

英単語を覚えるときも、そのまま丸暗記するのではなく、例文や用法をいっしょに覚える方が役立つ知識になってくれるでしょう。できれば語源もいっしょに覚えたいところです。できるかぎり意識

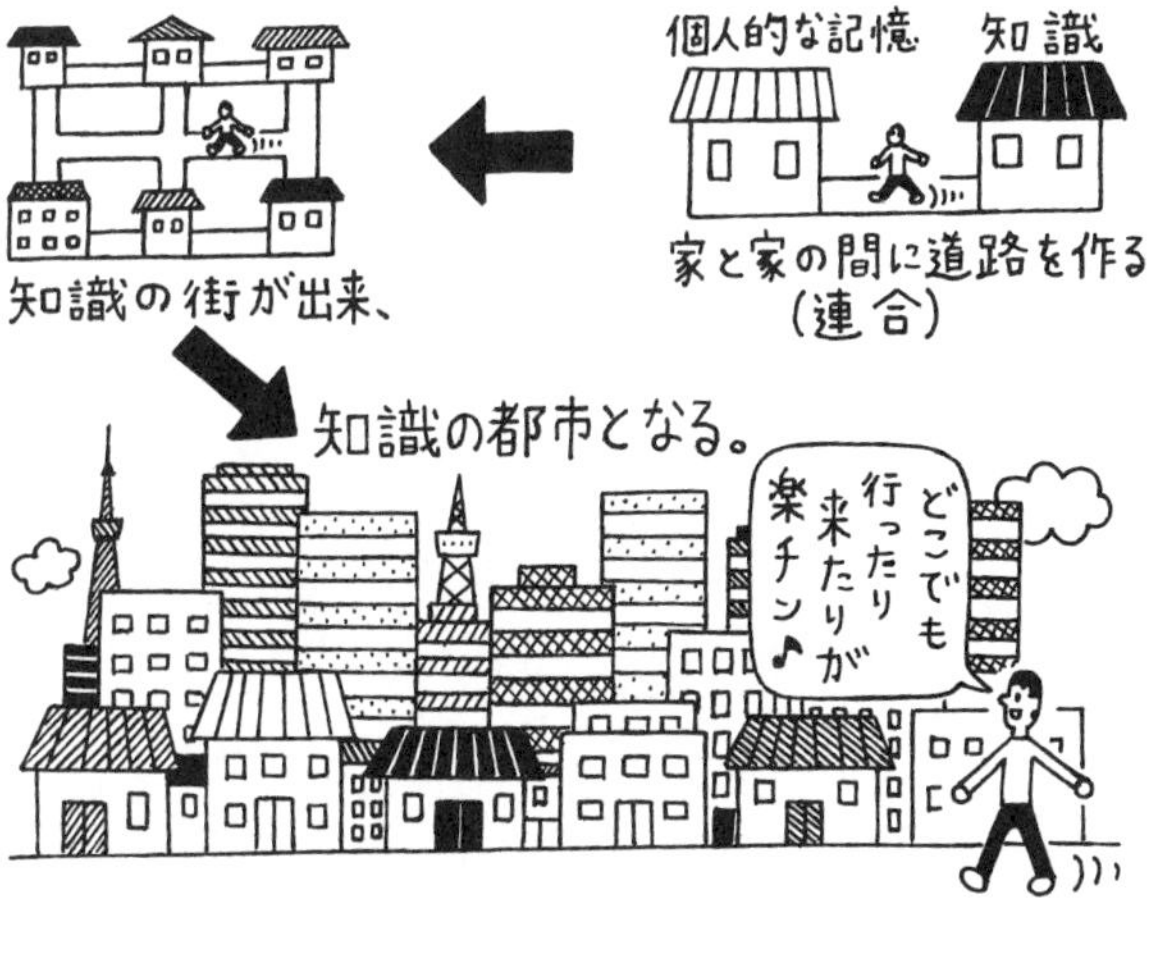
個人的な記憶
知識
家と家の間に道路を作る
(連合)
知識の街が出来、
知識の都市となる。
どこでも
行ったり
来たりが
楽チン♪

して精緻化するのです。

「語呂《ごろ》合わせ」もまた記憶の精緻化としてしばしば用いられます。語呂合わせは邪道だと決めつける人がいますが、そんなことはありません。脳科学的にみれば効率のよい、つまり、脳にとっては負担の少ない暗記法なのです。ですから気後れすることなく、堂々と語呂合わせを使って暗記しましょう。人の目を気にして、恥ずかしがって、語呂合わせを利用しなかったとしたら、より楽に暗記ができるせっかくの機会を逃していることになります。

ところで語呂合わせで覚えるときには、言葉の音声のリズムやノリだけで覚えるのではなく、意味していることをきちんと「想像」することが大切です。たとえば「なんと（七一〇年）美しい平城京」という語呂合わせも、言葉どおりの優雅な風景を具体的に思い浮かべながら覚えるのです。そうすることによって、記憶はさらに精緻化されて補強されます。

想像は知識よりも重要である。　アインシュタイン（科学者）

想像するという行為は一方で、海馬を強烈に刺激します。[24]つまり「想像」は、精緻化と海馬の活性化という二つの利点があるのです。想像すれば想像しただけ、はるかに記憶に残りやすくなります。

スムーズに想像できるようになるには、やはり語呂合わせを自分で作るのが一番よいと思います。自分で作れれば、そのまま「経験記憶」となりますし、語呂合わせの意味している状況も、自然と想像できるようになります。

もちろん語呂合わせを使わない記憶にも、連合の重要性は当てはまります。ただし、その場合には、単に知識や情報だけの連合につとめるよりも、そこに皆さん自身の想像をできるだけ働かせて、知識をより豊かにして関連づけましょう。

できれば、そこに皆さんの経験も結びつけて記憶した方が効果は大きいでしょう。なぜなら、自分の体験が記憶に関連すればするほど、経験記憶に近づくからです。

それでは次に、経験記憶の作り方を紹介しましょう。

体験談11

大人はほとんど学校で習ったことを忘れている

父親に複素数のちょっとした問題についてきこうとしたら、全くできなかった。母親に二次方程式の解についてきいたら、算数でやった食塩水の文章題ですらできないことが分かった。おまけに、「足し算と引き算ができれば大丈夫。割り算なんて卒業した後、使ったことない」と開き直られた。

文部科学省は数学が嫌いな人には履修科目から外した方がいいんじゃないのか。実際問題として、数学の知識についてうちの両親程度のおとなが過半数だと思う。先生にきいたら、数学の知識そのものを覚えることより、それを学ぶ過程でぼくたちの論理的な思考力が養われるのだそうだ。

そう言えば、兄が使っていた公務員試験の問題集に推理問題があった。数学の問題はどれも基本的なワンパターンばかりだったが、この推理問題は簡単ではなかった。いっそ数学なんかやめて、推理問題を学校でやったらどうか。数学が嫌いになった人でも、論理的な思考力とやらはウンとつくと思うんだけど。(高二・愛知)

著者からのコメント

想像してみてください。本当に推理問題を学校で強制的にやらされたとしたら、やはりうんざりするはずです。たとえば、仮に大好きなテレビゲームでも、学校の授業に組み込まれて毎週テストをやらされたら、おそらく投げ出したくなることでしょう。どんな内容であっても同じだと思います。つまり、数学そのものが問題なのではなくて「強制されていること」が問題なのです。

より現実的にいえば、推理問題ばかりを練習して論理的な思考力を養うくらいなら、数学という、二千年以上の歴史にもまれながら完成された美しい体系を通じて能力を養った方が、長

期的に見れば圧倒的に効率がよいと思います。たとえ複素数や食塩水の問題の解き方を忘れてしまってもです。

歳を取るごとにこれが事実であると気づくはずです。まだ納得できない人は、いまはダマされたと思ってやるしかないでしょう（笑）。損はしませんから。

私たちが人生とは何かを知る前に人生はもう半分過ぎている。

ヘンリー（詩人）

6－3 覚えたことは人に説明してみよう

もっとも手軽な経験記憶の作り方は、覚えたい情報を友達や家族に説明してみることです。一旦覚えた記憶を出力すると、そこにさまざまなキーワードが絡《から》まって精緻化されます[25]。

そうすれば、「あのとき説明したぞ」「こんな図を描きながら教えたところだ」といった具合に経験記憶になります。それがきっかけとなって、あとで簡単に思い出せるようになります。

テレビや雑誌で見たことを、すぐに人に話したがる人がいます。ときには知ったかぶりをして、偉そうにしゃべる人さえいます。周りの人には迷惑かもしれませんが、じつは、そうして何度も人に話しているうちに、その知識を確実に自分のものにすることができます。雑学王の人は、ほぼ例外なく、ふだんから「話したがり」です。人に話すことを通じて、たくさんの雑学を身につけていくのでしょう。

もちろん雑学だけでなく、勉強して覚えた内容も、どんどん友達や親に説明してみましょう。そうすれば、学習したばかりの知識も、しだいに脳に染《し》みついていきます。第2章で説明したように、脳は入力よりも出力を重要視しているのです。説明は最大の「出力」戦略です。

説明することの利点はそれだけではありません。自分がきちんと理解できているか、間違っていないかを確かめることができます。自分がきちんと理解できていなかったら、人に説明できるはずがありません。人に説明してみれば、自分が本当に理解しているのか、どこまでをきちんと理解していて、何がまだ分かっていなかったのかが確認できます。

そのためにも説明する相手には、内容を知らない人を選ぶ方が効果的でしょう。祖父母、弟や妹、後輩。教える対象は周囲にたくさんいます。もし他人に説明するのがどうしても恥ずかしかったら、ぬいぐるみに向かって説明するのも手です。

ところで、「経験記憶法」は万能に思えますが、残念ながら欠点があります。それは、経験記憶はしだいに知識記憶に置き換えられてしまうことです。放っておくと、せっかくの経験記憶も、いずれは体験が削《そ》ぎ落とされて、いつかは知識記憶になってしまいます。どんな大都市でも、道路が使われないと、しだいにさびれて田舎町になっていきます。もっと過疎化が進めば廃墟になってしまうかもしれません。

よく考えてみれば、どんな知識でもはじめは何か経験があってたくわえられたはずです。そして時間とともに経験記憶のエッセンスが色あせて、純粋な知識となっていくのです。経験記憶は気づかないうちに、ただの知識記憶になってしまいます。そうすると、簡単な設問にもかかわらず、テスト中にど忘れしてしまうことになるのです。

もちろんその記憶は脳の中に保存されてはいます。しかし知識記憶なので「きっかけ」が十分にないと思い出せません。思い出せない記憶では記憶としての意味がありません。テストの点数上は「覚えていない」ことと同じです。

どんな立派な大都市も道路を使っていなければ雑草が生えてきて、ついには廃《すた》れてしまいます。ですから、ど忘れしてはいけない重要な知識については、ときどき人に説明してみて、経験記憶として鍛え直すための努力を忘れてはいけません。

体験談12

参考書選びのポイント

私の参考書選びのポイント……図が多いものを買うことにしている。それから、テーマや小見出しが大きくてはっきりしていると、頭の中が整理しやすい。改行が多いのもいい。

それと内容をよくチェックして、理由や因果関係の説明もなく、ただ「ここが出るからここを覚えろ」式のものは買わない。最後に、「はじめに」を読んで、ほんとにやる気になったら買う、百円高くても。（高一・北海道）

著者からのコメント

参考書選びにおいてフィーリングはとても大切です。

人によっては図が多いことが重要なポイントになるでしょう。一般に、図は理解を助けるだけでなく、イメージを脳に定着させるのにも役立ちます。文字だけの勉強ではにぶりがちな想像力を助けてくれるからです。

図がより有効になるためには、視野の左側に図が配置されていることが肝心です。人は左側に見たものをよく覚えられるのです。おそらく右脳の働きです。反対に、読んだり聞いたりしたものごと、つまり「言葉」に関連したものごとは右耳から入力された左脳の方が覚えられるようです。そうした気配りのある参考書ならなおよいでしょう。

指摘のように、参考書は見出しがしっかりしていることが大切です。系統だった分類がなされている方が、理解が容易になりますし、覚えた後も見出しのキーワードを通じて思い出しやすく、かつ利用しやすい知識になります。根拠や因果関係を明示しないで、結果だけを記した参考書は、もはや参考書とは呼べません。要点だけをまとめた本は、試験直前の知識チェックに使うにとどめましょう。

6-4　声に出して覚えよう

「人に説明する」ことは経験記憶をつくる最大の近道だと言いました。説明することが脳にとってよい理由はほかにもあります。説明するときには必ず「声」を出していることです。

一般に、耳を使った学習は、目を使った学習よりも効率がよいという事実を知っているでしょうか。たとえば人に言われて傷ついた言葉などは、いつまでも心に残ります。耳の記憶は強固です。

秘密は脳の進化の過程にあります。視覚が高度に発達したのは、動物の進化の過程では比較的最近のことです。実際にネズミやイヌやネコなどのホ乳類の視覚はヒトに比べて弱いことが知られていますが、聴覚はよく発達していて、遠くからかすかに聞こえる音を聞き分けることができます。つまり長い進化の道のりで、ホ乳類たちは、目よりもむしろ耳をよく活用して生き延びてきたと言えます。

すでに述べたように、脳はヒトのためだけに生まれたのではありません。動物の進化の過程で少しずつ発達し、現在のヒトの脳に到達したのです。日常生活を主に「視覚」に頼るようになったヒトの脳ですが、いまだに原始的な動物の性質が色濃く残っています。これは耳の記憶に関しても当てはまります。進化の歴史が長いぶん、耳の記憶は心によく残るでしょう。

皆さんも幼少のころに習った歌を今でもよく覚えているでしょう。「ドレミの歌」や「さくらさくら」などの唱歌は、メロディーとともに歌詞すら思い出せるはずです。歌詞はただの知識記憶であるはずなのに、いとも簡単に思い出せます。もしメロディーにのせないで歌詞だけを思い出せといわれたら、ちょっと苦労します。これこそが聴覚記憶のマジックです。

覚えるときも同じです。ある曲の歌詞を視覚だけに頼って、文字を眺めて丸暗記しようとしたら大変な時間がかかります。しかし、声に出してメロディーやリズムといっしょに覚えれば、わりと簡単に覚えることができます。

いかに耳を使った記憶法が有利であるか

納得できるでしょう。皆さんも勉強するときには、見ることだけに頼って覚えようとしないで、耳を使いましょう。

もちろん、目と耳さえ活用すればよいというわけではありません。人間の体には、さらに多くの感覚があります。それらをできる限り利用する方がよいはずです。学習時には、必ず手を動かして紙に書き、そして声に出して何度もしゃべりながら記憶するように心がけましょう。

たとえば漢字を思い出す実験で、手を動かせないように固定してしまうと、点数が下ってしまうことが知られています。こうした事実からも、記憶が身体と密接に関連していることがわかります。手、目、耳などの五感を最大限に活用して、海馬をフルに刺激しながら記憶するのが、学習の近道なのです。

赤のプラスチックシートで赤文字を隠して暗記する用語集を使っている人がいますが、この勉強法は眺めるだけの、つまり視覚だけの学習になりがちです。こうした参考書は、試験直前の要点の再チェックに利用する程度にとどめましょう。

脳心理学コラム17

ホムンクルス

脳は使えば使うほど性能が高まる不思議な装置です。ですから、ふだんの生活でもできる限り「脳」を使い続ける方がよいはずです。

ただし、脳を鍛えるといっても、がむしゃらに使えばよいというわけではありません。もしかしたら、もっと効率的な働かせ方があるかもしれません。

たとえば、次のページの絵に描かれた奇妙な人間を見てください。体の各部分を制御する神経細胞が脳にどんな割合で存在するかを示した人形で、「ホムンクルス」と呼ばれています。ホムンクルスは、手の指や舌は大きいけれども、腕や足や胴体はやせっぽっちのガリガリです。これはヒトの脳は、指や舌に対してとても敏感であることを意味しています。実際、ヒトの指先の感受性は、ネコのヒゲの敏感さに匹敵するとさえ言われています。

逆に考えれば、脳を刺激するためには「手の指」を使うのが効果的であることが想像できます。指先の運動は、ふだんのちょっとした心がけと時間の使い方で十分に可能です。勉強中は目で見て覚えるだけでなく、手を動かし書いて覚えることが肝心なのは言うまでもありませんが、通学途中でも空いた手で指の体操をするとか、趣味として裁縫や楽器やタイプをやるなど、工夫しだいでいつでも脳への刺激が可能になるでしょう。

ところで、脳を使いすぎると疲れてしまうのではと心配になる人がいるかもしれませんが、じつは、脳は疲れません。もし勉強していて疲れを感じたとしたら、それは脳ではなく、目や肩など、身体の疲労ではないでしょうか。

なぜなら、脳は昼も夜も休むことなくずっと活動していてもヘコたれない仕組みになっているからです。それもそのはず、脳が休んでしまったら呼吸さえできなくなってしまいます。脳はタフなヤツなのです。一生働き続けても平気なようにデザインされているのです。ですから、皆さんも遠慮することなく脳をどんどん刺激し続けましょう。

ホムンクルス

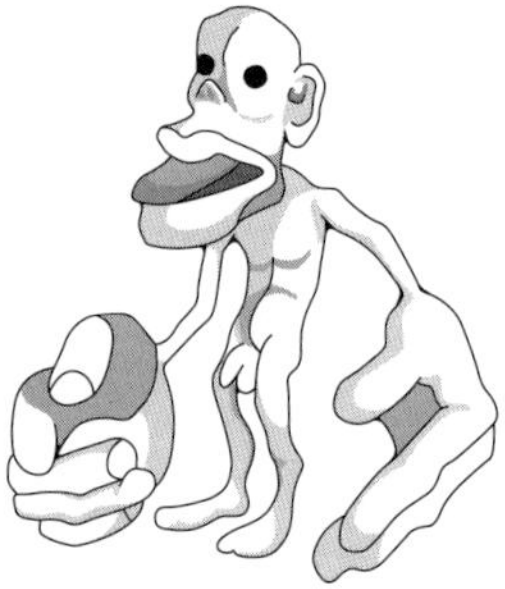

私たちの人生は、私たちが費やした努力だけの価値がある。

モーリアック（作家）

なお、目の疲労は、頭、首、肩そして腰などにまで広がっていくので早めに手を打たなければいけません。アメリカの指圧研究所ガク博士によれば、目の疲労回復には、目の内側の窪《くぼ》みを両方の親指で押し上げるように押すのが効果的だそうです。まぶたの上から目を四〇℃程の温度で十五秒間温めるのもよいようです。

また、ビタミンB、C類が足りないと目が疲れやすくなるとも言われていますので栄養のバランスにも気をつけましょう。

6-5 記憶の種類と年齢の関係を理解しよう

これまでに「知識記憶」と「経験記憶」の二つの記憶について説明してきました。しかし、皆さんの脳の中にある記憶の種類は、この二つだけでしょうか。もちろん、そんなことはありません。もうひとつ大切な記憶があります。何か分かりますか。

自転車の乗り方や服の着方など、方法の記憶です。つまり、ものごとの「手順」や「やり方」です。

コツとかノウハウのようなものが脳の記憶だと言われても、ピンと来ない人もいるかもしれません。しかし、生まれたばかりの赤ん坊は、自転車に乗ることができないことを思い出してください。自転車の乗り方は、生まれてからあとで誰かに習って「習得」したものです。つまり、乗る方法を記憶したというわけです。このタイプの記憶を、ここでは「方法記憶」と呼びましょう。

知識記憶や経験記憶は「頭で覚える記憶」で、方法記憶は「体で覚える記憶」だと言えば分かりやすいでしょうか。もちろん、実際には「体」が覚えているのではなく、

「脳」が記憶していることは言うまでもありません。スポーツ選手はしばしば「筋肉が覚えている」という表現を使いますが、これはもちろん比喩《ひゆ》にすぎません。筋肉に記憶力はありませんから。

知識や経験の記憶が「What is」として説明できるのに対して、方法記憶は「How to」の記憶だと言えます。つまり、知識や経験の記憶は言葉で他人に伝えることができますが、方法記憶は言葉では説明しにくい、もしくはまったく説明のできないタイプの記憶です。たとえば、実用書や教本でどんなにスキーの滑り方を勉強してもダメで、実際にやってみなければ結局は滑れるようにはならないでしょう。方法記憶とは実践によって身につくものなのです。

方法記憶には二つの重要な特徴があります。

一つ目は、無意識に作られる記憶であるという点です。スキーの滑り方は何度もやっているうちに自然に身につきます。だからこそ、「体で覚える」と言われるわけです。

二つ目は、方法記憶は忘れにくくて根強いという点です。たとえば、自転車の乗り方やトランプゲームのルールなどは、長年やっていなくても必要なときに自然に思い出すことができるでしょう。逆に、記憶があまりにも強固なために、自己流でスポーツをやって癖のあるやり方を身につけてしまうと、あとで正しいフォームに修正しようとしてもなかなか癖がなくならないといった不具合も起こるくらいです。

さて、これで記憶の三兄弟が全員そろいました[26]。長男の方法記憶、次男の知識記憶、三男の経験記憶です。

この三兄弟は、平等ではありません。上下関係があります。

図に示したように、一番下の階層には「方法記憶」が、真ん中の階層に「知識記憶」が、上の階層には「経験記憶」が存在します。私はこれを「記憶三兄弟のピラミッド構造」と呼んでいます。下の階層ほど原始的で、生命の維持にとってより重要な意味をもっていて、上の階層にいくほど高度に発展した豊かな内容をもった記憶になります。

このピラミッドは、動物の進化の過程にも当てはまります。進化の上で古い原始的な動物ほど、長男の方法記憶がよく発達しています。反対に、高等動物ほど上の段の記憶が発達してきます。ヒトは、ほかの動物にくらべて、ピラミッドの頂点にある経験記憶の能力が高いことは言うまでもありません。「経験記憶」はヒトにしかないと

記憶の構造

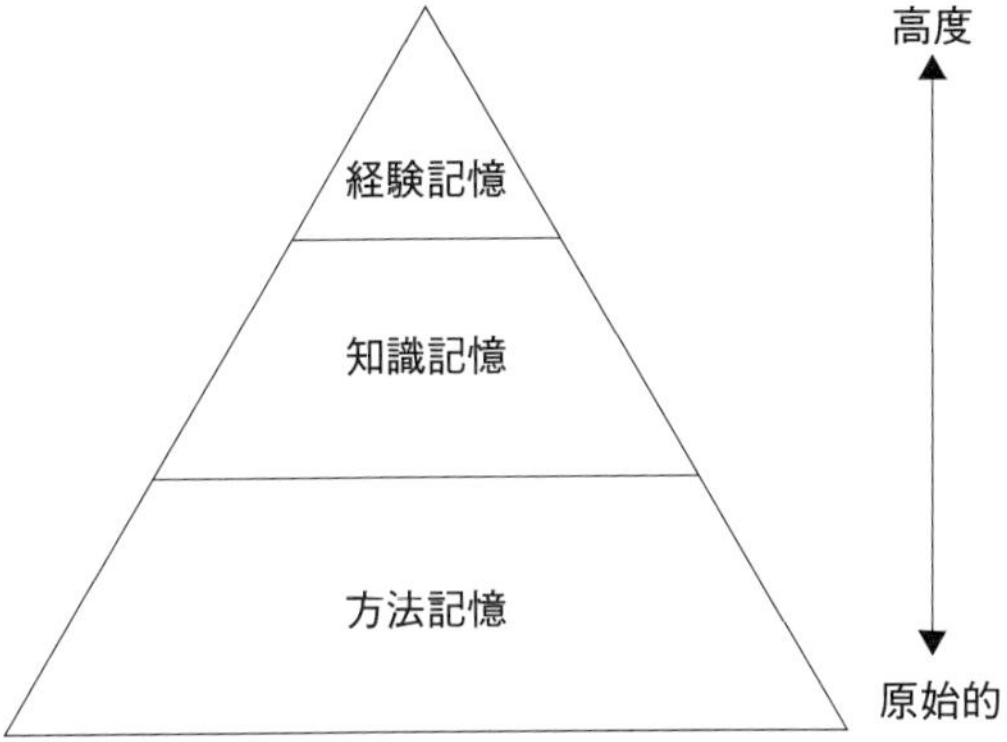

いう研究者もいるくらいです。[27]

このピラミッドは、ヒトの成長の過程にも応用することができます。子供から大人になるにつれて、もっとも早く発達するのが原始的な方法記憶です。つづいて知識記憶が発達してきます。そして、最後に発達するのが経験記憶です。

皆さんも生まれてから三、四歳のころまでの記憶がほとんどないことに気づくでしょう。それもそのはず、生まれたばかりのころは、まだ経験記憶が発達していませんから、自分にまつわるエピソードが記憶に残らないのです。けれども、方法記憶はすぐに発達してきますから、ハイハイやよちよち歩きなどの「体で覚える方法」は身につくのです。もう少し成長して知識記憶が発達すれば、言葉を話すことができるようになります。しかし経験記憶は、成長の過程ではかなり遅れて発達してくるので、幼いころ、いつ何をしたという記憶はあとに残らないのです。

実際に、中学生くらいまでは、どちらかと言えば知識記憶がよく発達している年頃で、その年齢をすぎると、経験記憶が優勢になってきます。

たとえば小学校では、十歳になる前に掛け算表の「九九」を教えますが、知識記憶がよく発達しているこの時期を狙《ねら》って暗記させようという教育方針なのです。このころの子供は、難しい論理めいたことではなくて、むしろ文字の羅列や絵や音に対して絶大な記憶力を発揮します。小学生がアニメやゲームのキャラクターを丸暗記してしまう能力には、驚くべきものがあります。こうした能力は、第二次性徴期をむかえる中高生のころには衰え、しだいに「経験記憶」重視の脳に変化してゆきます。

体験談13

秘伝の読書法

ある程度の分量の本を読むとき、ポイントだと思ったところに下線を引いたり、マーカーでぬったりする人は多いと思います。私もそうしています。

そしてさらに私の場合、表紙のウラに「P23　記憶をつくるのは海馬」とか「P35　知識記憶から経験記憶へ」などと自分でまとめたポイントを上から並べて書いていきます。見知らぬところへ歩いていくときに犬がするおしっこのようなものでしょうか。本を読み進めて半分くらいまで行くと、少し話が込み入ってきたり、最初のあたりに書いてあったことを忘れかけて、それ以上読み進めるのがしんどくなって来ます。そうしたら、表紙のウラに書いたことを上からなぞって行きます。そうすると、話の流れが見えてきて、続きが読めるようになります。

全部読み終わってしばらくしてから、引用したり拾い読みするときにも便利ですよ。一度ぜひ試してみてください。ただし、図書館の本はやめた方がいいと思います。（高二・奈良）

著者からのコメント

まさに、古来から読書術に活用されている方法ですね。自分で開発したのでしょうか。

本のキーワードを抜き出すのは、脳の中に情報の「地図」を作ることができるので、内容の習得には有効な手法です。[28] これを行うことで、自分が本の内容をきちんと理解できているか、また曖昧《あいまい》なところはないかを確認することもできます。一種の復習法です。「読む」というと、てっきり「目」だけの作業だと思い込んでしまいがちですが、「手」を使って出力しながら読書するというのはナイスな発想転換だと思います。

6-6 勉強方法を変えなければいけない時期がある

記憶の種類は、年齢によって変わることが分かりました。その年齢に合った得意な記憶の種類があるというわけです。

この事実はとりもなおさず、学習するときには年齢に適した勉強方法をとった方がよいことを意味しています。

たとえば、中学三年間も前半までは知識記憶の能力がまだ高いですから、試験範囲を「丸暗記」してテストを受けるという、力技の作戦でもクリアーできたでしょう。けれども、高校受験の勉強に入ったころからは、少しずつ経験記憶が優勢になってきますので、これまでのような無謀な丸暗記作戦では、早晩通用しなくなります。

しかし、自分の脳に起こるこうした重大な変化に気づかずに、いつまでも昔の栄光にすがって同じ勉強方法を続けていると、自分の能力に限界を感じるようになるのです。

また、そういう人に限って、「以前のように覚えられない」と記憶力の低下を嘆くのです。言うまでもありませんが、それは記憶力が落ちたわけではなく、単に記憶の種類が変わったことにほかなりません。この事実に早く気づかなければ、授業についていけなくなり落ちこぼれてしまう危険性があります。

実際、小学生のころまではよくできたのに、中学・高校生になると学校の成績が急に下がってしまう生徒がいます。自分の能力の変化に対処しなかったことが原因である可能性があります。自分の記憶のクセについてよく理解して、それに対応した作戦をとることが大切です。「二十《はたち》過ぎればただの人」などとは言われたくないものです。

逆に、中学・高校生になって急に成績が伸びる人もいます。こうした人は、本人が気づいているかどうか別としても、自分の能力の変化をいち早く察知して、うまい勉強方法を取り入れた人なのでしょう。だからこそ、劇的な効果が目に見えて現われたのです。

中学・高校生になると、丸暗記よりも理論だった経験記憶がよく発達してきます。それは、ものごとをよく理解してその理屈を覚えるという能力です。当然、勉強法もそれに沿った作戦に変えていく必要があります。丸暗記はいけません。高校生にもなれば、もはや丸暗記は効果的な学習法とは言えません。

かりにまだ丸暗記ができたとしても、そもそも丸暗記には重大な欠点があります。丸暗記は覚えた範囲の限られた知識にしか役に立ちません。応用範囲が限られているのです。一方、論理や理屈でものを覚えると、同じ論理が使えるすべてのものごとに活用できます。たとえ丸暗記と同じ記憶量だったとしても、理論的な記憶の場合は広範な有用性を発揮します。理論の記憶は応用範囲が広いのです。

だから中学生以降は、一刻も早く知識記憶に頼った勉強方法は捨てるべきなのです。「ぐずぐずしていることは、時間を盗まれているに等しい」とは詩人ヤングの言葉です。いつまでも過去の栄光にすがっていると、将来の悲惨な結末は目に見えているといってよいでしょう。

小学生のころは勉強できたのになぁ
ヨシ！
勉強法を変えてみよう

体験談14

英単語を語源で覚える

「英単語を語源で覚えていくと定着がいいし、知らない単語にも見当がつくので一石二鳥だ」という人もいるけど、私は英単語は理屈じゃなくて片っ端から反射神経で覚える方が性に合っている。単語集には例文もついているし、おまけにCDまでついているのだが、ほとんど無視してきた。でも、和訳はできるけど英作文はさっぱりだ。

たとえば、この前もabandonは「捨てる」と覚えているのだが、「ゴミを捨てる」にabandonを使ったら×にされた。大学に行くと、知らない単語はゴロゴロ出てくるし、英語でレポートを書かされると聞いて落ち込んでいる。（高三・秋田）

著者からのコメント

丸暗記で本当に確実に覚えられるようであれば、それでも構いませんが、一般的に丸暗記は応用の利かない記憶法ですから注意してください。なぜなら、蓄えられた知識が神経ネットワークの中で有機的なつながりを持っていないからです。過疎地の記憶なのです。しかも、丸暗記した知識は、曖昧になりやすくケアレスミスの原因になりますし、何よりも忘れるのが早いのが難点です。

実際、英単語はそれ自体ではほとんど意味をなしません。文章や会話で使われてはじめて活きるものです。この点はとても重要です。英作文が苦手だという事実にも、それが現われているようです。英語は単語だけではなく、文法つまり「理論」も大切なのです。前後関係や文脈によって単語に意味が与えられます。

「語源」も広い意味で理論です。単語の成り立ちを知っていれば、はじめて出会った単語でもその意味を想像できることが多くあります。この方はすでに豊富な単語力をもっているのですから、今後はそれを活かす努力をすればよいと思います。すでに脳の中に蓄えられた知識を縦横に関連づけて、豊かな知識に変えていくのです。語源を覚えて、さらに文法も覚えれば、英語を得意科目としてものにすることができるはずです。

6-7 方法記憶という魔法の力

これからこの本の最後にかけて、「方法記憶」について詳しく説明しましょう。

方法記憶はとても奥深いものです。「魔法の記憶」と言われています。方法記憶をうまく利用できれば、皆さんの勉強の強い味方になります。

先の章で「学習の転移」について説明しました。ある分野をきわめることができると、ほかの分野の理解も簡単になるという現象でした。じつは、これは方法記憶による相互関連づけ作用の結果なのです。

どんな分野でも、あるパートを習得するためには、その知識だけでなく、それを「理解する方法」を知る必要があります。理解の方法。まさに「方法記憶」です。要するに、ある分野を習得することは、その分野の知識だけではなく、方法記憶までを自然に習得していることになります。この方法記憶が基礎にあるからこそ、ほかの分野の理解を深めることができるわけです。たとえば、野球をマスターした人は、野球のフォームやルール（つまり、方法記憶）を習得しているので、それを応用すればソフ

方法記憶が使える棋譜

方法記憶が使えない棋譜

トボールが楽に習得できるようになるというわけです。

ここで思い出してほしいことは、方法記憶は覚えることも思い出すことも無意識に行われるという事実です。手順の記憶は自然と上達するのです。実際、知識や情報の記憶は意識して学習するけれども、これに付随する「理解の仕方」は無意識に記憶されています。

つまり皆さんの意志にかかわらず、方法記憶は勝手に作動しているのです。ですから方法記憶は、思いもよらないところで、知らず知らずのうちに絶大な威力を発揮してくれます。

将棋やチェスの名人は、試合のあとで対局中の盤面を完全に再現することができます。それどころか、過去の何十試合分の棋譜でさえ完璧《かんぺき》に記憶していると言います。素人《しろうと》から見ると、棋士たちは本当に天才的な記憶力の持ち主であるかのように見えます。

たしかに、知識記憶として「7四角、5三歩成、6九銀……」と丸暗記していったら、骨が折れる作業になるでしょう。もしかしたら、皆さんの中には次のように反論する人もいるかもしれません。棋士は自分で試合をしたのだから、それは「知識記憶」ではなく「経験記憶」だと。確かに、その通りです。しかし、名人は自分の経験に関係のない他人の試合でさえ、試合記録を見ただけでたやすく全棋譜を覚えてしまいます。知識記憶だけでこれを行うことは、まさに超人的な記憶力ではないでしょうか。

実際のところを言うと、知識記憶だけでこれを全部覚えることは、小さな子供ならいざ知らず、どんな名人であっても無理な話なのです。

つまり名人は、知識記憶や経験記憶だけでなく、「方法記憶」を駆使しながら、棋譜を記憶しているのです。対局中に出現した盤面をパターン化して記憶しているわけです。無意識のうちに棋譜を分類・解析して「法則性」を見抜いているというわけです。

その証拠に、対局していても絶対にあり得ないようなパターン（たとえば、私のような素人が駒《こま》を適当に並べたような盤面）になると、名人ですらまったく記憶することができません。今までの経験でたくわえてきた方法記憶が使えないのです。こうなれば、名人の驚異的な記憶力ももはや素人同然です。

このように、一見「天才的」と思える能力は、どんな場合でも方法記憶が源になっています。天才を作るのは方法記憶なのです。これが「魔法の記憶」と呼ばれる理由です。

数学がよくできる人は、試験中に問題の解き方がヒラメクと言います。しかし、ただの偶然なヒラメキだけでは好成績は維持できません。問題の内容をきちんと理解して、設問パターンを類型化してこそ、正しいヒラメキが得られるものです。驚異的な数学の発想力も、その根底には必ず堅実な「方法記憶」が働いています。

方法記憶は、どれだけ多くの問題を解き悩んできたかによってたくわえられます。勉強もせず楽をしてきた人が、あるとき突然ヒラメクようになるなんてことはありません。

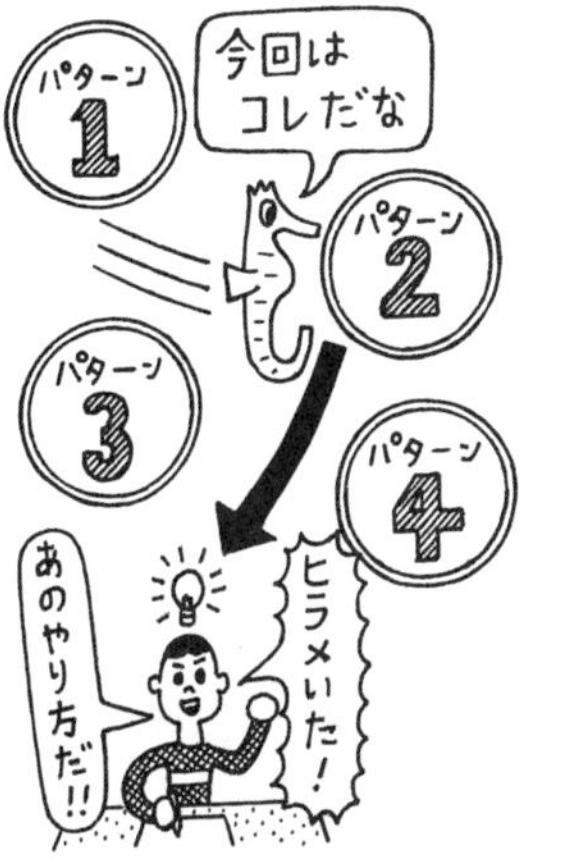

体験談15　よい先生がいる予備校には行ってはならない!?

いい予備校であればあるほど、いい先生がいる。いい先生とは、ぼくたちを志望校に合格させるためにもっとも効率のよい解法を授けてくれる人だ。

でも、ぼくは何から何まで先回りして教え込まれると、大学に入ってから自分ひとりでできるのかと不安になる。考えてみれば小中高までは、学校の先生に不満があったら塾・予備校に行けばよかった。そしてそこにはぼくたちに必要なものを研究しつくしていて、なおかつ分かりやすく教えてくれるプロがいたのだ。大学の教授は研究者としてはすぐれた方々に違いないが、教えることについては学校の先生よりもっと下手というか関心ない人がいると聞く。

ということは、大学に入る準備として、入試に合格するだけの知識もさることながら、自分で勉強を進めていける方法を身につけていなければならないのではないだろうか。そう思うと、いい先生がいる予備校ほど行ってはいけないような気がしていた。

高三になってはじめて、予備校の授業を受けてびっくりした。点を取るための小手先のテクではない。数学の長岡先生には推論の厳密さを、現代文の出口先生には人間の深遠さを教えられた。あとに続く者は、先達が切り拓《ひら》いた世界や方法論を早く相続して、その上に何がしかを積み上げることが役割だと思うようになった。
（高三・埼玉）

著者からのコメント

このような相談は実際によく受けます。大学は教育機関であると同時に、学術研究の発信機関でもあります。ですから大学の先生は、教えるのが好きだから、もしくは教えるのがうまいから教師をやっているわけではありません。大学に入学したばかりの学生の多くは、このギャップに戸惑うようです。いずれにしても、高校までの受動的な勉強は、大学に入ってからの能動的な学習とはまったく質が異なるといってよいでしょう。

しかし、だからと言って「大学に入る準備として、よい先生がいる予備校に行ってはいけない」というのは考えが短絡すぎました。すでに気づいてもらったように、まったく逆なのです。表面だけの効果に目を奪われてはいけません。よい先生に付いてよい授業を受ければ、それだけさまざまな局面において応用の利く解決方法が身につくものです。将来を不安に思う必要はありません。

また、効率のよい勉強の仕方を教えてくれる人だけがよい教師だとは限りません。これを一口に言い表すのはとても難しいです。これればかりは皆さんも自身の経験を通して知ってもらうしかないと思います。いずれにしても「よい教師とは何か」を知っていることは、決してムダではないでしょう。大学に入ってから学力が伸びる学生がしばしば口にする言葉は、意外にも「中学・高校時代に、よい先生に出会えたから」なのです。そんな機会に恵まれることは幸せなことだと思います。

6-8 ふくらみのある記憶方法

今こうして「記憶」の本を書いている筆者である私ですが、何を隠そう私は「九九」をほとんど覚えていません。本当の話です。実際に、現在でも覚えているのは「ににんがし」「にさんがろく」「にしがはち」の三つくらいです。

「なぜ九九を覚えていないのか」とよく人に聞かれます。理由は単純です。単に小学生のころに、勉強が嫌いだったからです。もちろん、成績はいつも下の方でした。

しかし、現在の私は九九を覚えていなくても、ほとんど困ることはありません。実際、私は高校時代には塾にも通わず、独学で受験勉強して、現役で東大理Ⅰに合格しました。東大に入学した後も落ちこぼれることなく、薬学部に一位の成績で進学しましたし、東大の大学院への入試も首席でした。

なぜ、私のような九九すら覚えていない人間が、九九をしっかり覚えている人間よりも優れた試験成績を残すことができたのでしょうか。その秘訣《ひけつ》を伝授したいと思います。なぜなら、これは誰にでも可能なことだからです。

その秘訣は、まさに「方法記憶」です。

つまり、私は「九九」を覚える代わりに、「九九を計算する方法」を習得しているのです。

たとえば、「6×8」の場合を考えましょう。九九の世界では「6×8」をどう発音するのか私は知りませんが、そんな知識記憶を持ち出すまでもなく、私の場合は、

$$\begin{array}{r} 60 \\ -12 \\ \hline 48 \end{array}$$

と答えが瞬時に出ます。もしくは、

$$\begin{array}{r} 40 \\ +\ 8 \\ \hline 48 \end{array}$$

としても、よいでしょう。この計算がどういうことか分かるでしょうか。

私の頭の中には、数字を「十倍すること」「倍にすること」「半分にすること」とい

う三つの方法だけが入っています。この三つさえ知っていれば、九九はすべて答えを出すことができます。しかも瞬時にです。

細かい話ですが、この三つの方法は、「10を掛けること」「２を掛けること」「２で割ること」とはまったく異なります。私は掛け算や割り算はできません。私にできることは、数字を倍にしたり、半分にしたり、数字の後に「０」を付けたり取ったりする単純な作業だけです。

この方法を使えば、「６×８」は、

$$
\begin{aligned}
&6 \times 8 \\
&= 6 \times (10 - 2) \\
&= 6 \times 10 - 6 \times 2 \\
&= 60 - 12 \\
&= 48
\end{aligned}
$$

もしくは、

$$
\begin{aligned}
&6\times 8\\
&=(5+1)\times 8\\
&=(10\div 2+1)\times 8\\
&=10\times 8\div 2+1\times 8\\
&=10\times 4+8\\
&=40+8\\
&=48
\end{aligned}
$$

として計算できるわけです。

方法記憶とは、いわばものごとのエッセンスを抽出して覚えるようなものです。これを活用すれば、九九で八十一個も暗記する必要はありません。たった三つの法則を覚えるだけでよいのです。それだけで、九九表を使うのと同じくらい速いスピードで正解にたどり着くことができます。「方法記憶」は省エネの記憶法なのです。

さらに強調しておきたいことがあります。この三つの法則を使えば、「23×16」のような二桁の掛け算も、

$$
\begin{aligned}
&23\times16\\
&=23\times(10+6)\\
&=23\times(10+10\div2+1)\\
&=23\times10+23\times10\div2+23\\
&=230+115+23\\
&=368
\end{aligned}
$$

と、九九と同じようなスピードで答えが出ます。九九を丸暗記した人よりも、もしかしたら計算スピードが速いかもしれません。

もう、分かったでしょう。覚えた「九九」、つまり知識記憶はその範囲においてしか役に立ちませんが、方法記憶を使えば、同じ理論が根底にあるすべての計算に応用ができるのです。

方法記憶はふくらむ記憶です。だから、丸暗記で全部覚えるよりも少ない記憶量ですみます。しかも、忘れにくく強固な記憶です。方法記憶を利用しない人は明らかに損をしていると思います。

たとえば、私は学生時代に、数学や理科の公式をほとんど覚えていませんでした。公式はテスト中に導いていたのです。皆さんから見れば、労力のムダであるように感じるかも知れません。しかし、私にとっては公式を覚える時間があったら、ほかの勉強に時間を活かしたかったのです。

実際、公式そのもの（知識記憶）よりも、公式の導き方（方法記憶）を覚えた方が、その公式を応用する能力が身につきます。なぜなら公式の「原理」を理解しているからです。

一般的に、理屈も分からないまま公式を丸暗記している人は、公式を使って問題を解くのが下手なようです。そんな具合では、せっかくの知識も宝の持ち腐れです。どんな知識でも、根底にある理屈を理解して覚えることが大切だと思います。

これは理数系の科目だけに限りません。社会でも国語でも英語でも同じことが言えます。歴史的な事実や、世界の国々の経済状況、時代背景や人々の考え方などを理解すれば、多くの現象が根底でつながっていることに気づくはずです。知識の丸暗記はできるだけ減らして、知識の「背景の理論」を理解することへと、徐々に勉強の比重を移してみましょう。

たくさん覚えたこと自体は、何の自慢にもなりません。「記憶した量自体は何の意味も持たない」と心得てください。そんなことで自己満足するくらいなら、むしろ覚えている知識を「いかに活用するか」という、その応用方法を記憶することの方が、その何倍も重要なことなのです。少ない記憶量で大きな効果の出せるような勉強法に切り換えた方がよいと思います。

「天才は方法記憶が作る」と言いましたが、天才たちは、実際には、天才でもなんでもなく、方法記憶を使って「要領よく記憶している」ように私には見えます。個々の神経細胞の性能は誰の脳のものであっても差はありません。もっと言ってしまえば、ヒトでもネズミでも虫ケラでもほとんど差がありません。要するに、脳は「使い方」しだいなのです。すべては使い方、つまり方法記憶にかかっています。

ですから、知識記憶に時間を浪費するのはできるかぎり避《さ》けて、方法記憶にその労力を振り分けてみましょう。きっと自分の秘められた能力に驚くことでしょう。ふつうの「人がやることは、まだやれることの百分の一にすぎない」（豊田《とよだ》佐吉《さきち》）のですから。

体験談16

テストが大好き？

テストというのは、自分ができない所を暴《あば》き立て、人間にランクをつけるから大嫌いです。テストさえなければ、算数だって英語だって好きになったかもしれませんし、第一、親友を失うこともなかったのです。私は小学校の三年の時からそう思うようになって、テストの日はわざと休んだり、白紙同然で出したりしていました。

ところが、最近好きになった男の子は、「テストというのは、自分が努力したことをはっきりさせてくれるので大好きだ」というのです。確かに、テストも成績表もなければ、自分の弱点も長所も見えてこないような気がします。でも、先生も親もあまり小さい時からテストを競争させるための道具に使ってほしくないと思うのですが……。（高一・大阪）

著者からのコメント

たしかに難しい問題です。私たちは自由社会に生活しています。しかし、この「自由」という魅力的な言葉の意味を履きちがえてはいけません。自由とは「何でもしてよい」「拘束がない」ことではありません。たとえば、物を盗んでよいはずはありませんし、人を殺してもいけません。自由という言葉を、社会の中で使う限り、それは「責任」そのものを意味しています。その拘束を理解しない者は、自由を謳歌《おうか》する自由を与えられることはないでしょう。

学校教育の存在は、現代社会の「自由性」を象徴しています。しかし、だからといって、自分の好きな大学に行ったり、自分が好きな科目だけを学んだりすることはできません。

当然ですが、平等と自由を推し進めるためには、究極的には、人を区別・差別することが必要になる局面が出てきます。入試では、多くの場合テストの成績を使って、人を選別します。「物差し」の一つとしてテストを使っています。

しかし、学生だけでなく、学校の先生をはじめ多くの人々がすでに気づいているように、「成績が悪いこと＝ダメ人間」であるわけではありません。プロ野球選手でもそうでしょう。ホームランの打てない人がダメな選手であるなんて決まっていないでしょう。ヒットが打てればよい、守備が上手ならよい、ボールのコントロールが抜群ならよい、キャッチャーとしてピッチャーをうまくリードできさえすればよい、などなど、選手の善《よ》し悪《あ》しを判断する基準はいろいろあるはずです。

いずれにしても何らかのパラメータで「善し悪し」が判断されることは避けられません。それは「自由」の裏返しの現象なのです。長い目で見れば、学校のテストだけで自分の「人間性」が判断されることはありませんから、ふてくされることなく勉学に励んでみてはいかがでしょうか。

テストの日にわざと休んだり白紙で出したくなる気持は理解できますが、結局はなんの得にもならないものです。私には、独りよがりの正義感に燃えた、取るに足らない自己満足に思えます。反抗的な行為だけでは社会矛盾に対しての「抵抗」にすらなっていないことを自覚しておくことも重要だと思います。

人間は自己の運命を創造するのであって、これを迎えるものではない。

ヴィルマン（教育学者）

むしろ、成績が悪くても与えられた課題に対して精一杯努力する方が、将来の自分にとってプラスになるでしょう。すでに指摘してもらえているように、テストがなければ自分の弱点や長所が見えないという点は、テストの重要な恩恵の一つです。

6-9 なぜ努力の継続が必要なのか

最後に、魔法の記憶「方法記憶」について、もう少し説明したいと思います。なぜ人は天才になれるのかという究極の問題についてです。

まずは、この本で述べてきたことの復習から入りましょう。今、Aというものごとを覚えたと仮定しましょう。このとき同時に、Aという知識の「理解の仕方」も、皆さんが気づかないうちに脳に保存されました。方法記憶です。つまり、Aを覚えただけで、「A」と「Aの覚え方」の二つの情報が習得されます。

新たにBという知識を覚えようとしたときには、先のAの方法記憶が無意識のうちにBの理解を補助して、より簡単にBを習得できるようになるでしょう。これは「学習の転移」と呼ばれる効果でした。あたり前ですが、このとき同時にBの方法記憶もまた自動保存されます。

しかし、脳で起こる現象はそれだけなのでしょうか。

そんなことはありません。じつは、あとから覚えたBの方法記憶が、すでに習得し

記憶の相互作用

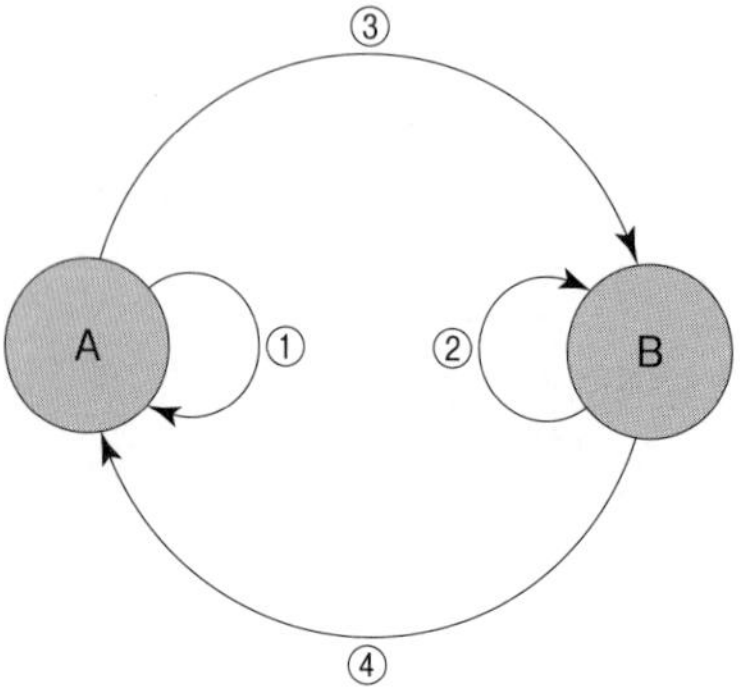

$2^2=4$

たAの理解をさらに深めてくれるのです。つまり、AとBの二つのものごとを覚えると、「A」、「B」、「Aから見たB」、「Bから見たA」というように、「ものごと」と「ものごとの連合」という全部で四つの効果が生まれるのです。脳に保存された内容はわずか二つであっても、連合効果で四つの情報が生まれているわけです。二の二乗です。

　このようにして、次々に新しいものごとを覚えていくと、その効果は等比級数的に増えていくことが分かります。一般的に、学習の転移には「べき乗の効果」があることが知られています。つまり、勉強量と成績の関係は、単純な比例関係ではなく、むしろ幾何級数的な急カーブを描いて上昇す

成績はあるとき一気に伸びる

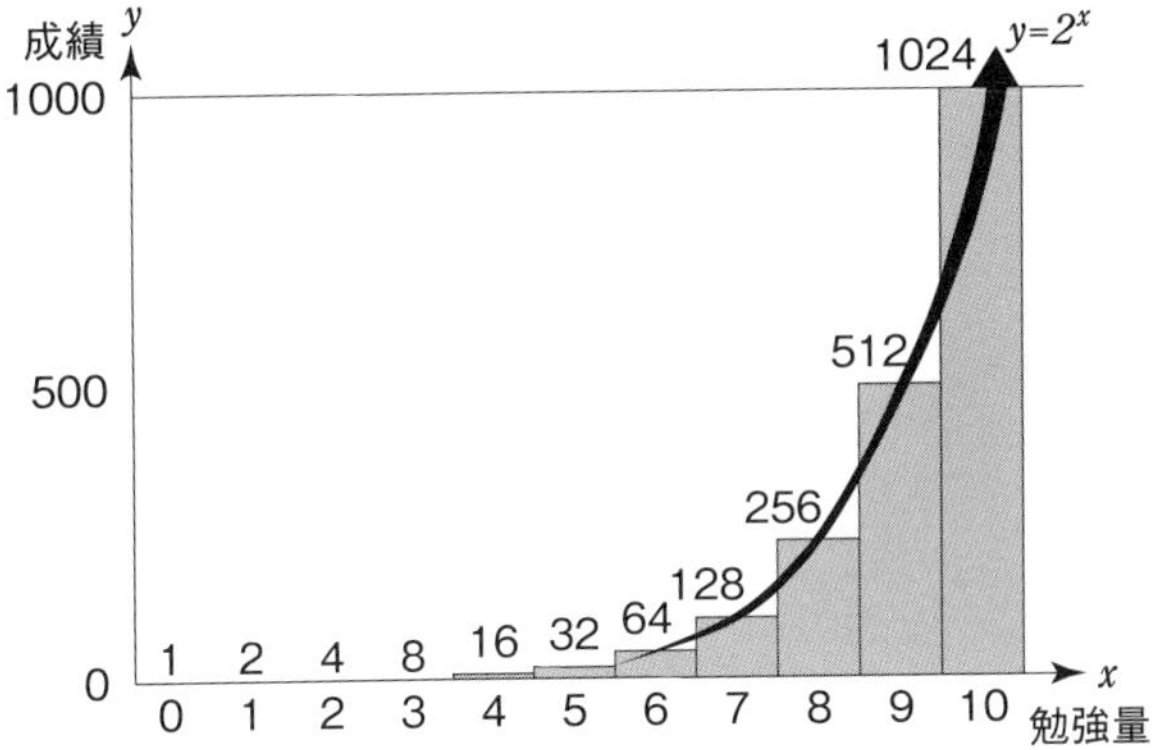

るというわけです。1、2、4、8、16……のように成績が伸びるのです。

これが意味しているところを実感してもらうために、たとえば皆さんは今、成績が1のスタート地点にいるとします。そして、勉強の目標成績を１０００に定めましょう。

さて、皆さんはこれから猛勉強をしていきます。まず勉強してレベルアップすると成績が2になります。さらに猛勉強を続けて、もう一ランク上がると、こんどは成績が4になります。こうして努力を続けていくと、成績は8、16、32と効果が累積してゆきます。

しかし、ふと振り返ってみると、こんなに努力したにもかかわらず、現在の成績はいまだにたった32でしかありません。目標の1000にくらべれば、スタートの成績からほとんど上昇していないに等しい成績です。

おそらく皆さんの多くは、この時点で「なぜこんなに猛勉強をしても成績が上がらないのか」「私は才能がないんだろうか」と悩んでしまうことでしょう。

そして1000の成績をもった周囲の人を眺めて、「とてもかなわないな」「ああいう人を天才というのだろう」と感じるはずです。この時点で自分の才能のなさにがっかりして、勉強を投げ出してしまう人も少なくないでしょう。

しかし、それは才能がないからではありません。なぜなら、忍耐強く勉強を繰り返せばその後、成績は64、128、256、512とみるみる上昇していくからです。

じつは、ここまで血のにじむような努力をして、はじめて勉強の効果が目に見えて確認できるようになるのです。これが勉強と成績の関係の本質です。残念ながら、勉強の成果はすぐには現われません。能力はあるとき突然、爆発するかのように現われるのです。

実際に、ここまでたどり着けた人であれば、あと一息の努力で成績が1024となり、目標の1000に到達できます。学習レベル5のときには32（$=2^5$）だったのに、レベル10になれば一気に1024（$=2^{10}$）にも達するのです。さらに、あと少しの努力をすれば、成績を２０４８に伸ばすことさえも可能です。このままのペースで学習レベル20までいけば、2^{20}＝１０４８５７６ですから、なんと一〇〇万を超えてしまいます。

　そして、成績一〇〇万に到達した人は、さんざん努力してようやく32にまでたどり着いた人から見れば、大天才のように見えることでしょう。これこそが勉強の相乗効果の実体なのです。

　こう考えると、おもしろい事実も見えてきます。それは、天才同士の差はとても大きいという点です。たとえば１０２４と２０４８は、2^{10}と2^{11}ですから、ランクとしてはひとつしか違いませんが、その成績差は、成績32あたりでもがいている人から見ると計り知れないほど大きいわけです。きっと天才達は天才なりの悩みを抱えているのでしょう。

　勉強を続けていると、目の前の霧が急に晴れたように視界が開けて、「ああっ、分かった！」と感じる瞬間があるでしょう。ある種の「悟り」に似た心境でしょうか。こうした現象は、まさに勉強と成果の関係がべき乗の関係にあることを物語っています。「雲や嵐《あらし》なしでは、いかなる虹もあり得ない」という作家ヴィンセントの言葉は、勉学の核心を見事に突いています。血の滲《にじ》むような努力を続けてこそ報われるわけです。

そうなのです。「努力の継続」こそが、もっとも大切な勉学の心得なのです。なかなか結果が現われないからといって、すぐにあきらめてはいけません。もちろん周囲の天才たちを見て落ち込む必要もありません。彼らと自分の能力を単純にくらべることはほとんど無意味です。努力と成果は比例関係にあるのではなく、等比級数の関係にあるのですから。

自分は自分。今は差があっても、努力を続けていれば必ず成果が現われます。「嵐の前の静けさ」と「唐突な爆発」という成長パターンを示すのが「脳」の性質なのです。たとえ効果が目に見えなくとも、使えば使った分だけ着実に基礎能力はたくわえられています。

現実的な話をすれば、勉強を開始してから効果が現われ始めるまでに、どんなに早くても三カ月はかかることでしょう。

たとえば、夏休みを前に意気込みを新たにして、友人達が楽しそうに遊んでいる七、八月に、来る日も来る日も猛勉強を続けたとします。そして、休み明けの九月の実力テスト。本人は「これだけ勉強したのだから、きっと絶大な効果が現われるだろう」と自分の能力に期待することでしょう。しかし、点数は夏休み前とさほど変わらないことは十分にありえることです。当人はひどく落ち込んでしまうことでしょう。やる気をなくしてしまうかもしれません。

しかし、本書を通じて脳の性質を学んだ皆さんならば、むしろ「たった二カ月で効果が出る方がおかしい」と感じるでしょう。そして、さらに努力を続けられるはずです。

夏休みの勉強の効果が現われ始めるのは、早くても秋以降だと思ってください。翌年二月に受験を控えている場合には、間に合うか間に合わないかといったギリギリの最終ラインでしょう。

十分な勉強の効果を得たいのならば、やはり最終目標の一年以上前から勉強を始めなければなりません。長期的な計画性が肝心です。そして、ひたむきな努力です。すぐに効果が出ないからといってクジけてはいけません。ときに勉強がつらくなったら、「脳の機能は等比級数である」という事実を思い出して自分を鼓舞してください。いつかきっと効果が現われるから、もっとガンバろう、と。

夢をもちつづけていれば、いつか必ずそれを実現する時が来る。

ゲーテ（作家）

体験談17

現役は受験直前に伸びる

入試がひたひたと近づく気がして来るのに、志望校の過去問を解いても解けないときは焦りまくる。先生は、「現役生は入試の直前に急激に伸びる」と言うけど、単なる気休めなのか。時間と実力の関係が、傾きの低い一次関数では入試のXデーまでには合格最低ラインを超えそうにない。

二次関数か指数関数でないと……。それどころか、y＝aのグラフのような気がしてやる気がときにない。そうすると、傾きがマイナスの一次関数になったり、底が1より小さい指数関数になってしまうのか!!（高三・青森）

著者からのコメント

先生の言うとおり現役生は入試の直前に急激に伸びることが多いようです。しかし、勉強しなければその効果は絶対に現われませんから注意してください。本文にも書いたように、勉強とその効果の関係は指数関数的になっています。ですから、いまの時間と実力の関係の「傾き（微分係数）」から未来を予測して落ち込む必要はありません。かならずその予想値よりもよい成績が得られます。勉強時間をtとすると、それぞれ成績s、Sについて、

$s = at$ のときは

$d^2s/dt^2 = 0$

$S = A^t$ のときは

$d^2S/dt^2 = (\log A)^2 A^t$

だから

$A > 0$ ならば

つねに $d^2S/dt^2 > d^2s/dt^2$

です。

ですから模試でD判定やE判定をとってもあきらめてはいけません。

ただし、能力が指数関数的ということは、裏を返せば本当の実力が出るまでには、それなりの時間が必要だということになります。受験勉強は少しでも早めに始めるように心がけましょう。

人間は負けたら終わりなのではない。あきらめたら終わりなのだ。

ニクソン（元米大統領）

おわりに

この本を最後まで読んできた皆さんならば、脳を知ることで効率的な勉強法を見つけ出すことができることを実感していただけたと思います。「ああ、こうすればよかったのか！」と感じた人もいると思いますし、なんとなくよいと感じていた方法に科学的な裏づけがあることを知って「今までの勉強法はまちがっていなかった」と自信を深めた人もいるかもしれません。

あるいは「目新しいことは何も書いていなかった」とがっかりした人もいるかもしれません。それでもよいのです。人と異なることを言って周囲から注目されたいという感情を抑えるのはふつう難しいようですが、本書の目的は読者を驚かせることではありません。そもそも、奇抜な方法が立派な勉強法だとは限りません。むしろ昔から伝わる「常識」は案外正しいものです。先人たちが血のにじむような試行錯誤で得た、い、実験結果なのですから。本書を通じて私が真に試みたかったことは、奇妙奇天烈な新勉強法を提案して読者を驚かすことではなく、むしろ過去の偉人達の経験則を、現代脳科学の視点から再解釈することなのです。

いずれにしても、この本を通じて「何か」を感じとってもらえたのならば、私としては大成功です。

学生である皆さんは、毎日が勉強の繰り返しであることと思います。勉強そのものが生活の中心であるといって過言ではないでしょう。そんなときふと疑問に思うことはありませんか。

「こんな勉強が将来何の役に立つのだろうか」と。

古文の文法や微分積分法など覚えたところで、自分の人生においてどれほどの意味があるのでしょうか。実生活がどう変わるのでしょうか。ビジネスや出世のために応用できるのでしょうか。こう疑問に感じてしまっても不思議ではありません。

実際に、私自身も日常生活で、微分積分法どころか、連立方程式すら使ったことがありません。連立方程式など知らなくても、ふつうに暮らしていけます。ではなぜ勉強が必要なのでしょう。

世の中には受験という制度があるから、勉強しなければならないのは仕方がないと自分を納得させている人もいるかもしれません。大学には人数制限があります。だから何らかの基準で生徒を選別しなければなりません。そのための判断基準の一つとして、テストの成績を指標に使っている。だから、勉強は避けて通ることはできない、と。たしかに学校の勉強にそうした側面があるのは否めません。

しかし、それだけでしょうか。

この本を読んだ皆さんなら、こうした考え方がいかに視野の狭い浅薄な考えにすぎないかを説明できるでしょう。そうです。学校の勉強で学ぶものは「知識記憶」だけではないのです。「方法記憶」も習得しているのです。

方法記憶は、天才的な能力をつくりあげる魔法の記憶です。ものごとの見通しをよくして、総合的な理解力、判断力、応用力を高めることのできる記憶です。センス、熟練、直感といったものの土台にもなっています。

学校で習う知識記憶は、社会に出てから役に立たないものが多いかもしれません。しかし、そのときに学んだ方法記憶は、皆さんの今後の人生のさまざまな局面で大きな助けになることでしょう。社会、家庭、娯楽、仕事、人間関係。多様な側面をもった人生を豊かにする湧泉《ゆうせん》こそ方法記憶です。

もちろん、方法記憶は学校の勉強でなくても習得できます。しかし、小学生から高校生にいたる一連の学校のカリキュラムは非常にうまく設計されています。こうした学習スケジュールは、一朝一夕に完成されたものではありません。教育文化の長い歴史にもまれ、じっくりと練り上げられたものです。ですから、方法記憶についても、ゲームや遊びを通して短絡的に習得するよりも、学校の勉強を通して学んだ方が、効率よく習得できるはずなのです。

自転車の乗り方を覚えるときに、何度も何度も繰り返し練習することが必要だったことを思い出してください。方法記憶の習得で欠かせないものは「繰り返す努力」と「めげない根気」です。そのかわり努力と根気をもってことにのぞめば、能力は「べき乗」の関数で伸びてゆきます。こうした効果は誰の脳にでも約束されています。優秀な人にだけ起こることではありません。

そもそも、できる人とできない人の差は、勉強をする時のちょっとした意欲の差だと私は信じています。

動物の脳を調べているとおもしろいことが分かります。たとえば、ネズミのヒゲの脳反応を見てみましょう。[29] ヒゲにモノが触れたときの神経活動を記録するのです。実験を行うとネズミは、ただ待っているだけのときと、積極的にヒゲを動かして触りに来るときがあります。そのときの脳の反応がまったく違うのです。

自ら情報を探りに来たときは、受動的に情報を得たときよりも、十倍も強く神経細胞が活性化します。同じものがヒゲに触れたにもかかわらずです。つまり、脳は積極的な姿勢で得た情報を重要視するのです。イヤイヤながらの勉強で脳への効果が十分の一に減じてしまうとしたら、とてももったいないことです。

前向きに努力を続ければ、脳に裏切られることはありません。当たり外れのある「賭《か》けごと」とは違って、成果が約束されているのです。心強いことではありませんか。勉強すればするほど、これが事実であると実感できると思います。

私は学生時代に多くの時間を勉強に割いてきたつもりです。しかし、現在の私はそれでも「もっと勉強しておくのだった」と後悔することが少なくありません。皆さんも将来私のように後悔しないよう、勉強に励んでほしいと思います。より上のレベルを目指すのであれば、劣等感やうぬぼれを排除し、今の自分の姿をしっかりと見据えて、自分が何をすべきなのかを把握しましょう。

学習は勉強する時間の長さが重要なのではあ

りません。大切なことは勉強への意欲、そして学習方法です。効率よく勉強して成果をあげ、時間が余れば、ほかのことに使いましょう。趣味、自己研鑽《けんさん》、デート、何でもいいです。うまく時間を使って、今の時期の皆さんにしかできない、彩りのある生活を送ってほしいと切に願っています。

ランプがまだ燃えているうちに、人生を楽しみたまえ、しぼまないうちにバラの花を摘みたまえ。

ウステリ（詩人）

insight. *Nature* 427, 352-355 (2004).

15. Mednick, S., Nakayama, K. & Stickgold, R. Sleep-dependent learning: a nap is as good as a night. *Nat Neurosci* 6, 697-698 (2003).
16. Karlsson, M.P. & Frank, L.M. Awake replay of remote experiences in the hippocampus. *Nat Neurosci* 12, 913-918 (2009).
17. Gottselig, J. M., *et al.* Sleep and rest facilitate auditory learning. *Neuroscience* 127, 557-561 (2004).
18. Aarts, H., Custers, R. & Marien, H. Preparing and motivating behavior outside of awareness. *Science* 319, 1639 (2008).
19. Litman, L. & Davachi, L. Distributed learning enhances relational memory consolidation. *Learn Mem* 15, 711-716 (2008).
20. Cho, K. Chronic 'jet lag' produces temporal lobe atrophy and spatial cognitive deficits. *Nat Neurosci* 4, 567-568 (2001).
21. Brawn, T. P., Fenn, K. M., Nusbaum, H. C. & Margoliash, D. Consolidation of sensorimotor learning during sleep. *Learn Mem* 15, 815-819 (2008).
22. Tse, D., Takeuchi, T., Kakeyama, M., Kajii, Y., Okuno, H., Tohyama, C., Bito, H., Morris, R. G. Schema-dependent gene activation and memory encoding in neocortex. *Science* 333, 891-895 (2011).
23. Xu, X., *et al.* Reward and motivation systems: a brain mapping study of early-stage intense romantic love in Chinese participants. *Hum Brain Mapp* 32, 249-257 (2011).
24. Maguire, E.A. & Hassabis, D. Role of the hippocampus in imagination and future thinking. *Proc Natl Acad Sci USA* 108, E39 (2011).
25. Pyc, M.A. & Rawson, K.A. Why testing improves memory: mediator effectiveness hypothesis. *Science* 330, 335 (2010).
26. Tulving, E. Multiple memory systems and consciousness. *Hum Neurobiol* 6, 67-80 (1987).
27. Roberts, W.A., *et al.* Episodic-like memory in rats: is it based on when or how long ago? *Science* 320, 113-115 (2008).
28. Nesbit, J.C. & Adesope, O.O. Learning With concept and knowledge maps: a meta-analysis. *Rev Educ Res* 76, 413-448 (2006).
29. Krupa, D.J., Wiest, M.C., Shuler, M.G., Laubach, M. & Nicolelis, M.A. Layer-specific somatosensory cortical activation during active tactile discrimination. *Science* 304, 1989-1992 (2004).

参考文献一覧

1. Hill, R. A. & Barton, R. A. Red enhances human performance in contests. *Nature* 435, 293 (2005).
2. Maier, M.A., Elliot, A.J. & Lichtenfeld, S. Mediation of the negative effect of red on intellectual performance. *Pers Soc Psychol Bull* 34, 1530-1540 (2008).
3. Karpicke, J. D. & Roediger, H. L., 3rd. The critical importance of retrieval for learning. *Science* 319, 966-968 (2008).
4. Bliss, T. V. & Lomo, T. Long-lasting potentiation of synaptic transmission in the dentate area of the anaesthetized rabbit following stimulation of the perforant path. *J Physiol* 232, 331-356 (1973).
5. Rauscher, F. H., Shaw, G. L. & Ky, K. N. Music and spatial task performance. *Nature* 365, 611 (1993).
6. Huerta, P. T. & Lisman, J. E. Heightened synaptic plasticity of hippocampal CA1 neurons during a cholinergically induced rhythmic state. *Nature* 364, 723-725 (1993).
7. Nakao, K., Matsuyama, K., Matsuki, N. & Ikegaya, Y. Amygdala stimulation modulates hippocampal synaptic plasticity. *Proc Natl Acad Sci USA* 101, 14270-14275 (2004).
8. Shors, T.J., Seib, T.B., Levine, S. & Thompson, R.F. Inescapable versus escapable shock modulates long-term potentiation in the rat hippocampus. *Science* 244, 224-226 (1989).
9. Ramirez, G. & Beilock, S.L. Writing about testing worries boosts exam performance in the classroom. *Science* 331, 211-213 (2011).
10. Briñol, P., Petty, R.E. & Wagner, B. Body posture effects on self-evaluation: A self-validation approach. *Eur J Soc Psychol* 39, 1053-1064 (2009).
11. Diano, S., *et al.* Ghrelin controls hippocampal spine synapse density and memory performance. *Nat Neurosci* 9, 381-388 (2006).
12. Buzsáki, G. Two-stage model of memory trace formation: a role for "noisy" brain states. *Neuroscience* 31, 551-570 (1989).
13. Fenn, K.M., Nusbaum, H.C. & Margoliash, D. Consolidation during sleep of perceptual learning of spoken language. *Nature* 425, 614-616 (2003).
14. Wagner, U., Gais, S., Haider, H., Verleger, R. & Born, J. Sleep inspires

索　引

この作品は平成十四年四月ナガセより刊行された『高校生の勉強法』を改題し、文庫化にあたり、増補、一部改稿された。

池谷裕二
糸井重里著
海　馬
―脳は疲れない―

脳と記憶に関する、目からウロコの集中対談。「物忘れは老化のせいではない」「30歳から頭はよくなる」など、人間賛歌に満ちた一冊。

池谷裕二著
脳はなにかと言い訳する
―人は幸せになるようにできていた!?―

「脳」のしくみを知れば仕事や恋のストレスも氷解。「海馬」の研究者が身近な具体例で分りやすく解説した脳科学エッセイ決定版。

養老孟司著
かけがえのないもの

何事にも評価を求めるのはつまらない。何が起きるか分からないからこそ、人生は面白い。養老先生が一番言いたかったことを一冊に。

養老孟司著
養老訓

長生きすればいいってものではない。でも、年の取り甲斐は絶対にある。不機嫌な大人にならないための、笑って過ごす生き方の知恵。

林　宏樹著
近大マグロの奇跡
―完全養殖成功への32年―

乱獲が続く天然マグロ争奪戦に輝く一筋の光明。不可能への挑戦「完全養殖」を成功させた近畿大学水産研究所の苦闘の日々に迫る。

石黒　浩著
どうすれば「人」を創れるか
―アンドロイドになった私―

人型ロボット研究の第一人者が挑んだ、自分そっくりのアンドロイドづくり。その徹底分析で見えた「人間の本質」とは――。

受験脳《じゅけんのう》の作《つく》り方《かた》

―脳科学で考える効率的学習法―

新潮文庫　い－101－3

平成二十三年十二月　一　日　発　行
平成二十七年　五　月　三　十　日　五　刷

著　者　池《いけ》谷《がや》裕《ゆう》二《じ》

発行者　佐藤隆信

発行所　株式会社新潮社

郵便番号　一六二―八七一一
東京都新宿区矢来町七一
電話　編集部(〇三)三二六六―五四四〇
　　　読者係(〇三)三二六六―五一一一
http://www.shinchosha.co.jp

価格はカバーに表示してあります。

乱丁・落丁本は、ご面倒ですが小社読者係宛ご送付ください。送料小社負担にてお取替えいたします。

印刷・錦明印刷株式会社　製本・錦明印刷株式会社

ISBN978-4-10-132922-2　C0137